これならわかる！
子どもの保健演習ノート

改訂第3版 追補

子育てパートナーが知っておきたいこと

監修 **榊原 洋一** お茶の水女子大学名誉教授
執筆 **小林美由紀** 白梅学園大学子ども学部教授

診断と治療社

改訂第3版追補の序

　昨今の子どもたちの環境は，目まぐるしく変化しつつあります。少子化は未だ改善の兆しが見られていませんが，子どもの問題が社会問題として取り上げられることが増えつつあります。子育ての情報が溢れる中で，子どもの健康を守り育てることにも，質が問われる時代となっているのではないでしょうか。

　「子どもの保健演習ノート」の改訂第3版を発行してから3年がたち，資料の差し替えや本文の記載の修正を行いました。子どもの命を守るという思いは，昔も今も変わりないと思いますが，色々な背景を持った子どもの一人一人を大切に育てるには，多くの分野の知見と協力が必要となってきています。子どもの保健演習での学びがその一端を担うだけでなく，様々な分野を繋いで，実践を共有する積み重ねをしていきたいと思います。

　子どもに関わる方が，子どもたちに思いを寄せる方が，一人でも多くなることで，子どもたちのよりよい未来が切り拓かれていくことを願ってやみません。

2019年2月

小林美由紀

改訂第 3 版の序

　新版の『子どもの保健演習ノート』を刊行してから，5 年が経ちました。この間，子どもの保育における環境も少しずつ変化してきています。保育士養成課程で子どもの健康について学ぶ科目が，「子どもの保健」となってから，子ども全般のさまざまな生活の場面における健康について，より身近に考えられるようになりました。

　子どもたちの発育発達状況，健康状態も時代の流れとともに少しずつ変化しており，それに合わせて子どもの発育を評価する成長曲線，母子健康手帳，育児用品も改変されてきています。その背景にある子どもたちの家族関係，社会環境を考慮していくことは，これからの子どもの育ちを考えていくことために大切です。また，ここ数年予防接種の状況も変化してきており，それによって，子どもの感染症の様相も変化していくと思われます。

　最近は，待機児童問題が社会的話題となっていますが，子どもが育つ環境の質の追究も大切なことです。保育所が，地域開放や一時預かりなどで，家庭で子育てが難しい子どもだけでなく，広く地域に開かれるようになり，子どもを育てる専門家としての役割が求められてきています。障害のある子どもたちが同年齢の子どもたちと一緒に育つことを経験できるのも，保育の現場ならではの体験です。「気になる子ども」だけでなく，医療的ケアが必要な子どもも一緒に生活する環境もできています。今まで，保育所が「保育に欠ける」子どものためにという場所として位置づけられてきていましたが，これからは子育てに悩む親子の交流の場や，障害のない子もある子もより良い育ちを育む場所になっていくでしょう。

　今回の改訂では，子育てパートナーとして，時代の動きのなかで，今まで以上に子どもたちを見守れるように，子どもの健康や病気・障害・事故について，具体的事例を通じて一緒に考えながら，概説しています。

　未来を支える子どもを育てるためには，実際に関わっている方々だけでなく，多くの方々による協力と知恵が必要です。今後も，子育てを身近なものとして，社会全体で考えられるよう，子育てパートナーの充実を願っております。

2016 年 12 月

小林美由紀

改訂第2版の序

　6年前に『小児保健実習ノート』を刊行し，2年前に新版として『子どもの保健演習ノート』を発行してから，子どもたちがさまざまな生活の場面で，より良く育っていくようにと，ともに考えていくことが，少しずつ広がっている雰囲気を感じています。

　子育てパートナーになろうという人も，家族やプロの保育者だけでなく，地域のなかでも関心を持つ方が増えてきています。社会の動きとともに，子どもたちをより良く見守れるように，『子どもの保健演習ノート』をこのたび改訂することとなりました。

　子育てパートナーを目指すときに必要な，子どもの健康や病気・事故について，どんな視点や課題があるかは変わりないのですが，予防接種や感染症にかかったときの出席停止日数が変更になってきているように，病気や事故が起きてからの対応のみならず，予防の視点が大切となってきています。また，アレルギーは時代の変遷とともに，子どもたちの生活のうえで配慮が欠かせないものになっています。さらには，障害のある子どもや慢性の病気を抱えている子どもが，通常保育で一緒に毎日を過ごすようになってきています。保育者が限られた施設だけで必要とされているのではなく，地域の子どもたちのアドバイザーとして，重要な役割を期待されている時代となっています。

　子どもたちの豊かな感性と健やかな成長は，時代の動きとともに，社会の大きな財産となっているのです。このことを共有できることは，子育てに関わる保育者にとって大きな楽しみと喜びです。

　今後も，より多くの子育てパートナーとともに，考えていただきたいと思っております。

2013年12月

小林美由紀

初版の序

　4年前に『小児保健実習ノート』を刊行してから，子どもたちの環境も少しずつ変化しています。保育士養成で必修だった「小児保健」が「子どもの保健」と名称を替え，子ども全般をさまざまな生活の場面より，健康を考えていくようになりました。

　子育てパートナーも，社会の動きとともに子どもたちを見守れるように，このたび新版として，『子どもの保健演習ノート』を発行することとなりました。前書と同様，子育てパートナーを目指すときに必要な子どもの健康や病気・事故について，どんな視点や課題があるかを中心に概説しています。

　子どもの成長を見るときには，身体を計測して正常範囲内にあるかどうかだけではなく，その背景にある子どもの家族関係，社会環境，心理状況を考慮していくと，子どもたちの未来の健康の姿が見えてくるかもしれません。子どもの発達は，ただ単に，通過点の確認だけでなく，一人ひとりをきめ細かに観察すると，今後の脳科学の進歩とともに，新たな知見に気がつくかもしれません。子育てパートナーとなるということは，すなわちその最も魅力的な体験を最初にできるということにつながります。

　今回の新版では，母子健康手帳が時代とともに変化してきたように，保育者の視点を取り入れて，「子どもの保育環境づくり」を独立して充実させました。また，事故の予防においても，安全管理や安全教育の方法について，日常から行う大切さを考えました。変遷している予防接種や「発達障害」の子どもたちへの対応も，情報の共有と多くの方々の協力が必要です。

　東日本大震災では，子どもたちへの大きな影響を懸念しつつ，子どもの生きる力に大人が励まされている現実があります。子どもたちを豊かに育てるというだけでなく，ともにより良い社会をつくっていく仲間として，子どもたちの存在は，私たちの大きな力の源となるのではと思います。

　今回も，さまざまな方々から，アドバイスをいただき，より身近な子育てパートナーとなることをともに考えていただいていることは，望外の喜びです。子どもたちの成長とともに育てていただければと思っております。

2011 年 12 月

小林美由紀

もくじ

改訂第 3 版追補の序	ii
改訂第 3 版の序	iii
改訂第 2 版の序	iv
初版の序	v
執筆者紹介	xii

第1章 子どもの発育を知ろう ————————————————— 1

A 胎児の発育	2
B 胎児の発育に影響する因子	2

1）一般的因子　2　　2）病的因子　3

C 身体発育の測定 ————————————————————————— 4

1 乳幼児の身体計測の仕方 ————————————————————— 4

1）体重　4　　2）身長　4　　3）頭囲　6　　4）胸囲　7　　5）体表面積　7

2 発育の評価の仕方 ————————————————————————— 12

1）パーセンタイル値　12　　2）発育指数　12　　3）SD 値（SD スコア）　12
4）発育速度　12

Column 🍵 母子健康手帳 ————————————————————————— 17

演習（課題）	20
おさらいテスト	24

第2章 子どもの発達を知ろう ————————————————— 27

A 運動機能の発達とその評価について ————————————————— 28

1）運動機能の発達の一般的原則　28　　2）原始反射　28
3）粗大運動の発達　30　　4）微細運動の発達　30

B 精神機能の発達の測定とその評価について ————————————— 32

1）言葉の発達　32　　2）知能の発達　32　　3）情緒の発達　33
4）社会性の発達　33　　5）精神機能の発達の評価　33
6）発達年齢の検査法　33

演習（課題）	36
おさらいテスト	38

第3章 子どもの健康状態を知ろう ———————————————— 41

生理機能の発達 ————————————————————————————— 42

1 体温 ————————————————————————————————— 42

1）子どもと成人の体温の比較　42　　2）体温の測定の仕方　42
3）体温に影響する因子　42　　4）発熱　43

2 呼吸 43
　　1)呼吸の型　43　　2)呼吸数　43

3 循環 44
　　1)脈拍　44　　2)血圧　44

4 体液調節 44
　　1)体液(水分)量　44　　2)体液の組成　44　　3)尿量の測定と尿検査　45

5 免疫 46

6 感覚 46
　　1)視覚　46　　2)聴覚　47　　3)嗅覚　48　　4)味覚　48　　5)触覚　48

Column 📖 集団生活と感染免疫 48

演習(課題) 49

おさらいテスト 51

第4章　日常における養護の方法　　53

A　子どもの抱き方 54
B　おんぶの仕方 55
C　食事の与え方 55
　　1)母乳と人工乳　55　　2)母乳の与え方　55　　3)冷凍母乳の与え方　55
　　4)人工乳の作り方　55　　5)白湯の与え方　56　　6)離乳食の進め方　56
　　7)成長に伴う栄養所要量　57
D　口腔内の衛生 58
E　衣服の着せ方 58
F　排泄のさせ方 59
G　沐浴・入浴のさせ方 61
H　寝かせ方 64
I　外出時に注意すること 65
J　おもちゃと固定遊具 67
K　自転車の乗せ方 67
L　子どもへの声掛けの仕方 67
演習(課題) 69
おさらいテスト 72

第5章　子どもの保育環境づくり　　75

A　施設環境 76
　　1)屋内の衛生管理　76　　2)屋外の衛生管理　77
B　日常の健康管理 78
C　健康診査(健診) 78
　　1)1か月健診　78　　2)3～4か月健診　79　　3)1歳6か月健診　79

vii

4）3 歳健診　79　　　5）学校健診　79

Column 🗂 シックハウス症候群 ………………………………………………………… 77

Column 🗂 保育者の健康 ………………………………………………………………… 79

演習（課題） ——————————————————————————————— 80

おさらいテスト ——————————————————————————————— 81

第6章　よくかかる病気について知ろう　　83

A　病気についての基礎知識 ——————————————————————— 84

B　体調不良時の症状別対応 ——————————————————————— 84

　　1）発熱　84　　　2）嘔吐　85　　　3）下痢　85　　　4）便秘　85　　　5）咳　87

　　6）鼻水，鼻づまり　87　　　7）発疹　88

C　よくかかる感染症 ——————————————————————————— 89

❶ 起因病原体別感染症 ………………………………………………………………… 89

　　1）麻疹　89　　　2）風疹　89　　　3）突発性発疹　89　　　4）水痘・帯状疱疹　89

　　5）単純ヘルペス感染症　90　　　6）手足口病　90　　　7）伝染性紅斑　90

　　8）流行性耳下腺炎　90　　　9）インフルエンザ　90　　　10）咽頭結膜熱　90

　　11）ヘルパンギーナ　90　　　12）乳幼児嘔吐下痢症（急性胃腸炎）　90

　　13）EB ウイルス感染症（伝染性単核症）　90　　　14）ブドウ球菌感染症　91

　　15）溶連菌感染症　91　　　16）百日咳　91　　　17）マイコプラズマ感染症　91

　　18）蟯虫症　91　　　19）伝染性軟属腫　91　　　20）頭じらみ　92

❷ 臓器別感染症 ………………………………………………………………………… 92

　　1）急性気管支炎　92　　　2）肺炎　92　　　3）喉頭炎　92　　　4）細気管支炎　92

　　5）胃腸炎　92　　　6）食中毒　92　　　7）尿路感染症　93　　　8）髄膜炎　93

　　9）中耳炎　94　　　10）結膜炎　94

❸ 季節別の流行疾患 …………………………………………………………………… 94

D　感染症の予防 ————————————————————————————— 94

　　1）出席停止期間の基準　94　　　2）予防接種　96

E　薬の投与の仕方 ———————————————————————————— 98

　　1）シロップ　98　　　2）粉薬　98　　　3）坐薬　99　　　4）貼り薬　99

　　5）塗り薬　99　　　6）点眼薬　99

F　病院受診時の対応 ——————————————————————————— 99

　　1）病院にかかるとき　99　　　2）救急病院を紹介してもらうとき　101

　　3）救急車を呼ぶかどうか判断に迷うとき　101

　　4）誤飲，誤嚥への対応を知りたいとき　101

Column 🗂 川崎病 ……………………………………………………………………… 91

Column 🗂 予防接種の変遷／解熱薬の使用／蚊を媒介とする感染／ペット感染 …… 100

演習（課題） ——————————————————————————————— 102

おさらいテスト ——————————————————————————————— 104

viii

第7章　よく起こる事故について知ろう　107

A　子どもの死因統計 ———————————————————— 108
B　子どもの事故の特徴 ———————————————————— 108
C　年齢別のけがや事故の種類と発生場所 —————————— 109
D　事故防止 ——————————————————————————— 109
　　1)室内　110　　2)屋外　110
E　事故後の精神的支援 ——————————————————— 111
F　安全への配慮 ————————————————————————— 111
G　安全管理 ——————————————————————————— 111
H　安全教育 ——————————————————————————— 112
　　1)身体的特性　113　　2)知的特性　113　　3)精神的特性　113
I　子ども虐待 ————————————————————————— 113
　　1)子ども虐待の現状　113　　2)身体的虐待の特徴　114
　　3)ネグレクトの特徴　114
Column　事件・災害の予防と対応 ··································· 114
演習(課題) ———————————————————————————— 116
おさらいテスト ————————————————————————— 122

第8章　いざというときの応急処置について知ろう　125

A　子どもの応急処置における留意点 ————————————— 126
　　1)重症のけがや意識がないとき　126　　2)心肺蘇生法　126
　　3)子どもの AED(自動体外式除細動器)の使用方法　127
B　急病時の応急処置 ———————————————————— 127
　　1)けいれん　127　　2)呼吸困難　128
C　傷害時の応急処置 ———————————————————— 128
　　1)出血　128　　2)切り傷，刺し傷，擦り傷　130　　3)骨折，脱臼　130
　　4)肘内障　130　　5)頭部打撲　130　　6)火傷　130　　7)溺水　130
　　8)誤飲　131　　9)誤嚥　131　　10)熱中症　131　　11)アナフィラキシー　132
　　12)凍傷　133　　13)電撃傷　133
Column　子どもの新しい心肺蘇生指針 ·························· 129
演習(課題) ———————————————————————————— 135
おさらいテスト ————————————————————————— 139

第9章　慢性疾患や障害をもつ子どもの保育について知ろう　141

A　慢性疾患や障害をもつ子どもの保育 ——————————— 142
B　医療費などの援助 ———————————————————— 142
C　子どもの在宅医療支援 —————————————————— 143

ix

D	低出生体重児・早産児で生まれた子どもの養護	143
E	アレルギー性疾患をもつ子どもの養護	143

　　　1)食物アレルギー　144　　　2)アトピー性皮膚炎　145　　　3)気管支喘息　145

　　　4)花粉症　147　　　5)アナフィラキシー　147

F	神経・筋疾患をもつ子どもの養護	148

　　　1)脳性麻痺　148　　　2)てんかん　149

G	肢体不自由児の養護	149
H	呼吸障害児の養護	150
I	先天性心疾患をもつ子どもの養護	151
J	泌尿器疾患をもつ子どもの養護	152

　　　1)糸球体腎炎　152　　　2)ネフローゼ症候群　152

　　　3)血管性紫斑病(アレルギー性紫斑病)　152

K	血液疾患をもつ子どもの養護	152

　　　1)貧血　152　　　2)血友病　152

　　　3)血小板減少性紫斑病　152

L	内分泌疾患(糖尿病)をもつ子どもの養護	152

　　　1)糖尿病　152　　　2)下垂体性小人症　153　　　3)性的マイノリティー　153

M	悪性腫瘍(悪性新生物)をもつ子どもの養護	153
N	視覚障害児の養護	153
O	聴覚障害児の養護	154
P	発達障害児の養護	154

　　　1)知的障害　155　　　2)自閉症スペクトラム症,自閉症スペクトラム障害(ASD)　155

　　　3)注意欠如多動症(AD/HD)　157　　　4)限局性学習症　157

Q	心身症のある子どもの養護	157

　　　1)チック　157　　　2)神経性頻尿　157

Column　喘息治療薬		148
演習(課題)		158
おさらいテスト		160

第10章　子どもの生活習慣について考えてみよう　163

A	生活習慣病の予防	164
B	肥満とやせ	164
C	食生活	165
D	就寝時刻と起床時刻	166
E	遊びと体力づくり	166
F	心身症	166
G	思春期のリプロダクティブ・ヘルス	167
演習(課題)		169
おさらいテスト		171

第11章	世界の子どもの保健をながめてみよう	173

A　子どもの保健の国際協力 —————————————————— 174

　　　1)国際連合(国連)　174　　　2)世界保健機関(WHO)　174

　　　3)国際連合児童基金(ユニセフ)　174

B　日本の子どもの保健の現状 —————————————————— 174

　　　1)子どもの死亡率の変遷　174　　　2)子どもの死亡率改善の原因　174

　　　3)出生率の減少　174

C　在日外国人の子どもの保健の現状 ——————————————— 176

D　海外渡航者の健康 ——————————————————————— 176

　　　1)予防接種　176　　　2)海外の医療情報　177　　　3)海外での感染症　178

E　発展途上国の子どもの保健の現状 ——————————————— 178

演習(課題) ——————————————————————————————— 179

おさらいテスト ——————————————————————————— 180

各章の演習課題とおさらいテストの解答(例) ——————————— 181

索　引 ————————————————————————————————— 200

本書の特長と使い方

各章の 講義 では，子どもの保健に関する知識を要点を中心に解説してあります。また，演習 の課題では実際の場面を想定しながら考えるとよいでしょう。ヒントや，巻末に一部略解を載せたものもありますが，話し合いのテーマとしてもとりあげてください。おさらいテスト は，基本的な知識の復習に活用してください。チェックボックスにチェックを入れ，くり返し行いましょう。また，成長曲線や身長体重曲線，体温経過記録，カウプ指数の計算図表，カウプ指数による発育状況の判定，子ども虐待評価チェックリスト，チャイルド・マウス，幼児視野メガネなどは実際の現場で用いることが可能です。

新たな疑問や課題が出てきたときには，もう一度要点を振り返ってみるとよいでしょう。

榊原洋一 * 監修
お茶の水女子大学名誉教授

小林美由紀 * 執筆
白梅学園大学子ども学部教授・大学院子ども学研究科教授・小児科医

執筆者紹介

東京大学医学部医学科卒業
都立府中病院，都立駒込病院，東京大学医学部小児科
スウェーデン王国カロリンスカ研究所
東京大学医学部講師
東京西徳洲会病院小児難病センター
を経て 2006 年 4 月より現職

第1章

子どもの発育を知ろう

- ◆胎児の発育の経過や発育に影響する要因を理解する
- ◆正しい身体計測の仕方と発育の評価の仕方を知っておく
- ◆成長曲線を理解する
- ◆母子健康手帳の意義を理解する

A　胎児の発育

　卵巣より排出された卵子と精子が融合することを受精といい，子宮内膜に着床するときから妊娠の始まりとされます。

　妊娠の週数は，最終月経の第1日目からの満の週数であらわします（図1）。受精卵が発育して胎芽となり，妊娠5週には，頭や心臓など主要な臓器ができてきます。妊娠9週から胎児とよばれ，妊娠40週が出産予定日となります。妊娠22週未満の分娩は流産として扱われ，胎外で成長するのは難しいとされています。妊娠37週から42週未満の出産は正期産といい，37週未満の出産は早産，42週以後の出産は過期産といいます。28週未満の早産のときには，超早産ともいいます。早産では，体重が少ないというだけでなく，臓器の発育も未熟で，医療的サポートがしばしば必要となります。過期産の場合も，胎児の発育には不利となる要素が増加するので，誘発分娩をして出産させます。

　出生体重は，一般には正期産であれば，3,000g前後で出生します。正期産であっても，母体側の要因や胎児の要因によって体重が異なることがあります。出産までの週数にかかわらず，体重が2,500g未満で出生した新生児を低出生体重児といいます。さらに，出生体重1,500g未満を極低出生体重児，出生体重1,000g未満を超低出生体重児といいます。また，体重が4,000g以上で出生した新生児を巨大児といいます。いずれも医療的サポートが必要になることがあります。

　早産児や低出生体重児を合わせて一般的に未熟児ということもありますが，状態が異なることが多いので，医療上では早産児と低出生体重児と表現することが多いです。

B　胎児の発育に影響する因子

　胎児の発育に影響するものとして，遺伝的なものや母親の状態によって，一般的因子と病的因子があります。それぞれ以下のようなものがあります。

1）一般的因子

　人種，性別，家系，母親の体格，母親の年齢，出生順位，母親の栄養状態，母親の喫煙の有無など。

受精齢週数（数え）		受精卵期	初期胚子期	胎芽期（胚子）					胎　児　期																												
		1	2	3	4	5	6	7	8	9	10	11	12	13	14	15	16	17	18	19	20	21	22	23	24	25	26	27	28	29	30	31	32	33	34	35	36	37	38
妊娠週数（満）	0	1	2	3	4	5	6	7	8	9	10	11	12	13	14	15	16	17	18	19	20	21	22	23	24	25	26	27	28	29	30	31	32	33	34	35	36	37	38	39	40	41	42	43
妊娠月数	1か月		2か月		3か月		4か月		5か月		6か月		7か月		8か月		9か月		10か月	
妊娠の帰結	最終月経	着床受精		流　産							早（期）産							正期産		過期産

図1 ●受精から出産までの週数（牛島廣治（編著）：小児保健福祉学. p25, 新興医学出版社, 2001）

2）病的因子

　胎児の先天性疾患，子宮内感染症，母体の催奇物質（奇形を起こしやすい薬剤や有害物質）摂取，母体の疾患，妊娠高血圧症候群（妊娠中毒症），多胎妊娠など。

　一般に，出生までの週数が同じであれば，男児は女児より体重，身長ともに大きくなります。母親の体格では，骨盤の形も胎児の発育に影響します。同じ出生順位であれば，母親の年齢が高いほど，体重は小さい傾向がありますが，母親の年齢が同じであれば，出生順位が後のほうが，体重は大きくなる傾向があります。母親の喫煙，妊娠高血圧症候群では，胎児の発育は悪く，早産になる傾向があるので，低出生体重児になりがちです。

　日本人の正常胎児の発育についての，在胎週数による発育曲線があります（図2，図3）。発育曲線で10～90パーセンタイルの体重で生まれた新生児はAFD児（appropriate for date infant），体重が10パーセンタイル未満の新生児はLFD児（light for date infant），体重も身長も10パーセンタイル未満の新生児はSFD児（small for date infant），

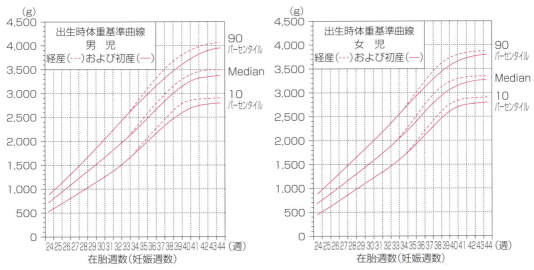

図2 ● 胎児の週数と体重（牛島廣治（編著）：小児保健福祉学．p35，新興医学出版社，2001）

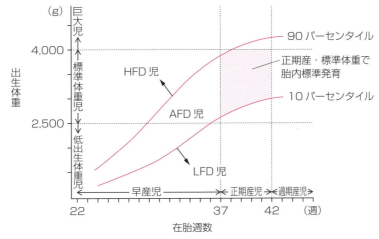

図3 ● 在胎週数と出生体重による分類

体重が90パーセンタイル以上の新生児はHFD児(heavy for date infant)といいます。いずれも母体や胎児に何らかの原因があると考えられますが，特にLFD児やSFD児の出生が予想されるときには，子宮内胎児発育遅延(IUGR：intrauterine growth restriction)として，原因を探る必要が出てきます。

C 身体発育の測定

1 乳幼児の身体計測の仕方

1) 体重

　乳児では，授乳，食事の前に測定し，オムツや服をつけている場合は，オムツや着衣の分を差し引きます。体重計は平らで水平な所に置き，計測前に体重計の計測値が0位になっているのを確かめることが大切です。

　生後数日間の新生児の体重は，出生体重の5〜10％ほど減少します。これを**生理的体重減少**といいます(**図4**)。正期産で標準体重児のときには，生後約1週間で，出生時の体重に戻り，哺乳が十分できるようになると，体重は1日あたり30〜40g増加するようになります。乳児ではg単位で，幼児ではkg単位で小数点以下1位(100g単位)まで測定します。その後の体重は，通常は生後3か月で出生体重の**約2倍**となり，生後1年で**約3倍**となります。

　乳児は，**臥位**か**坐位**で乳児用の体重計を使って測定しますが，体の一部が体重計の外のものに触れていないか注意します(**図5**)。乳児がじっとできないときには，介助者が抱っこして通常の体重計で測定し，あとで介助者の体重を差し引きます(**図6**)。

2) 身長

　2歳未満は，**仰臥位**(仰向け)で頭頂部から足底までの水平身長を測ります。2人一組で測定し児の頭頂部を固定板につけ，移動板を足底につけます。眼と耳がつくる平面(**耳眼面**)が台板と垂直になるように頭の横に手をそえて固定します(**図7**)。下肢は伸ばし，足底が台板と垂直になるようにして，mm単位まで測定します(**図7**)。

　2歳以上では**立位**で足先が30°くらいに開くようにし，後頭部，背部，臀部，かかとを身長計の尺柱に密着するように直立させて測定します(**図8**)。仰臥位と立位での測定方法では，立位で測定した身長のほうがわずかに低くなります。

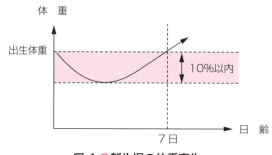

図4 ●新生児の体重変化

第1章 子どもの発育を知ろう

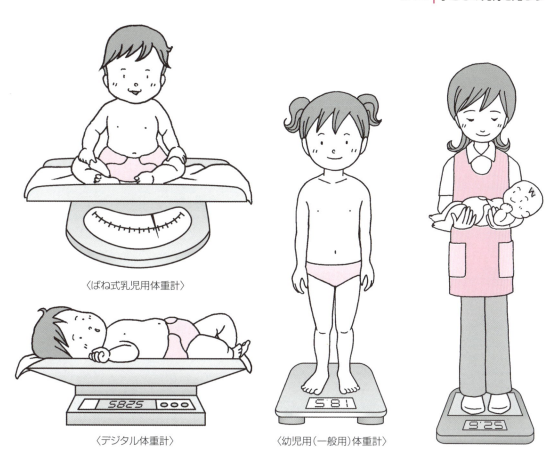

〈ばね式乳児用体重計〉

〈デジタル体重計〉

〈幼児用（一般用）体重計〉

図5 ●体重計の種類

図6 ●抱っこして測る場合

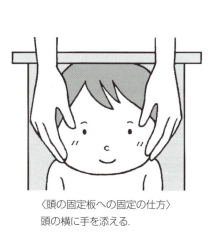

〈頭の固定板への固定の仕方〉
頭の横に手を添える．

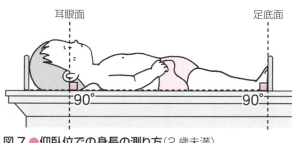

図7 ●仰臥位での身長の測り方（2歳未満）

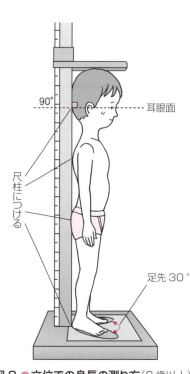

図8 ●立位での身長の測り方（2歳以上）

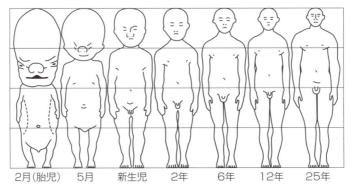

図9 ● 頭部と体部の比率の変化

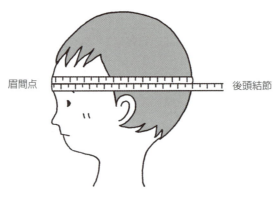

図10 ● 頭囲の測り方

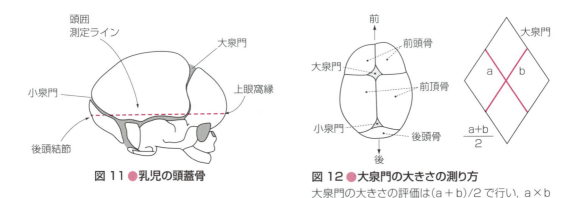

図11 ● 乳児の頭蓋骨

図12 ● 大泉門の大きさの測り方
大泉門の大きさの評価は(a＋b)/2で行い，a×bと表記する。新生児の平均値は2.5cm。

　正期産では出生時身長は約50.0 cmで，生後1年で出生時身長の**約1.5倍**となり，4歳で**約2倍**，12歳で約3倍となります。

　頭部と体部の比率は，出生時は4頭身で2歳で5頭身，成人では7～8頭身です（図9）。

3）頭囲

　頭囲は，前方は**眉の上**（眉間点），後方は**後頭結節**（後頭部で最も出ている部分）を通って，mm単位まで測定します（図10）。乳児の頭蓋骨はまだすべて結合していないので，骨と骨の間にすき間があり，前方の骨のすき間を**大泉門**といい，後方の骨のすき間を**小泉**

図13 ●胸囲の測り方

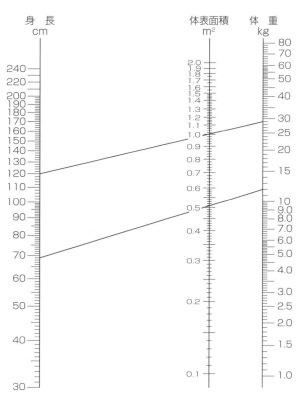

図14 ●**体重と身長による体表面積計算図法**(伊藤泰雄(監), 髙松英夫, 他(編):標準小児外科学第6版. p381, 医学書院, 2012)

門といいます(図11)。大泉門の大きさは，四角形の対辺の距離を測定します(図12)。

　出生時は頭囲が胸囲より大きいですが，出生後3か月で少しずつ胸囲のほうが大きくなります。頭囲は出生時約33.0 cm で，男児のほうが女児よりやや大きく，男児は4歳，女児は5歳で約50.0 cm となります。大泉門は生後1か月では約2 cm あり，次第に小さくなって，通常は生後1歳半頃閉鎖します。

　頭囲は，乳幼児健診で測定しますが，大きさに問題があると思われるときには，病院に紹介して経過観察する必要があります。

4) 胸囲

　2歳未満の乳児は仰臥位，2歳以上は立位で測ります。乳頭点を通り，自然な呼吸の呼気と吸気の中間時に測定します(図13)。出生時は約32.0 cm で，生後1年で約45.0 cm となります。

5) 体表面積

　直接計測するのは難しいので，体重や身長で算出する計算図があります(図14)。体表面積の計算は，水分必要量を考えるときや熱傷の程度を評価するときに必要となります。

　体表面積は，体重のわりに子どものほうが成人より大きく，体重1 kg あたりの成人の体表面積を1とすると，新生児では約3倍，6か月の乳児では約2倍となります。

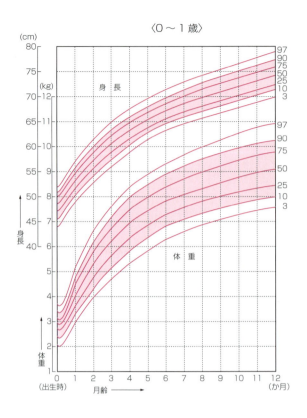

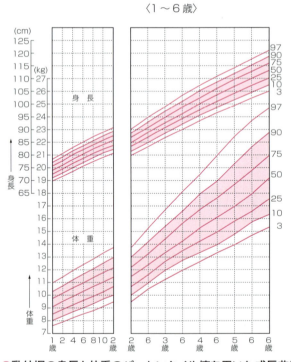

図15 ● 乳幼児の身長と体重のパーセンタイル値を用いた成長曲線(男)
(厚生労働省:平成22年乳幼児身体発育調査報告書(概要). 2010(http://www.mhlw.go.jp/stf/shingi/2r9852000001tmct-att/2r9852000001tmea.pdf〔閲覧日:2019.1.11〕))

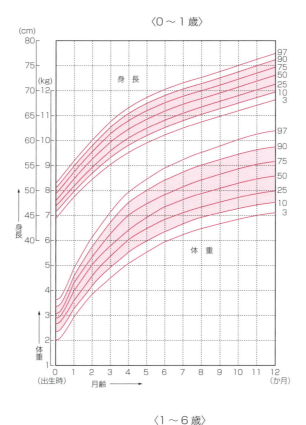

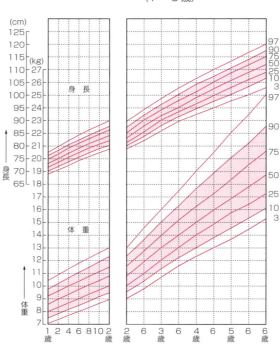

図16 ● 乳幼児の身長と体重のパーセンタイル値を用いた成長曲線(女)
(厚生労働省:平成22年乳幼児身体発育調査報告書(概要). 2010(http://www.mhlw.go.jp/stf/shingi/2r9852000001tmct-att/2r9852000001tmea.pdf〔閲覧日:2019.1.11〕))

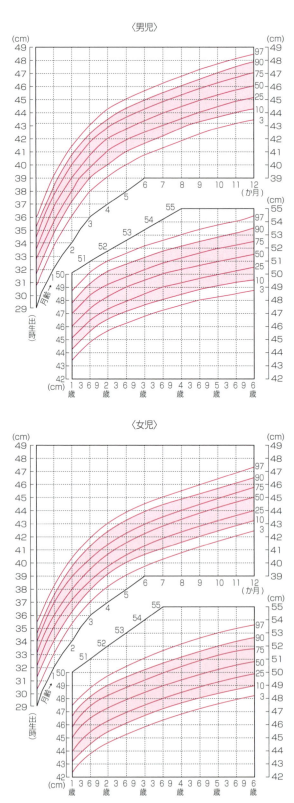

図17 ●乳幼児の頭囲のパーセンタイル値を用いた成長曲線（男・女）（厚生労働省：平成12年乳幼児身体発育調査報告書. 2001〔https://www.mhlw.go.jp/houdou/0110/h1024-4c.html〔閲覧日：2019.1.11〕〕）

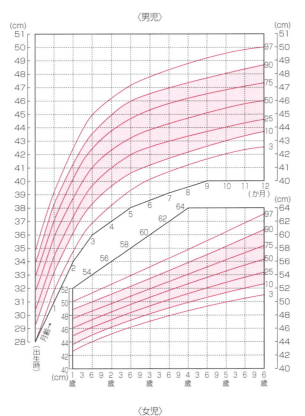
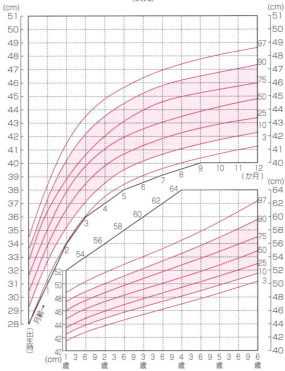

図18 ●乳幼児の胸囲のパーセンタイル値を用いた成長曲線(男・女)(厚生労働省:平成12年乳幼児身体発育調査報告書. 2001 (https://www.mhlw.go.jp/houdou/0110/h1024-4c.html〔閲覧日:2019.1.11〕))

2 発育の評価の仕方

1）パーセンタイル値

　乳幼児の発育評価には，厚生労働省の乳幼児身体発育値が用いられていますが，これは，パーセンタイル値で示されています。パーセンタイル値とは，計測値の全体を100％としたとき，小さいほうから数えて何パーセントかを示す値で，50パーセンタイル値は中央値です。体重，身長，頭囲，胸囲の3，10，25，50，75，90，97パーセンタイル値が公表されていますが，3パーセンタイル値未満，97パーセンタイル値を越えている場合は，発育の偏りとして，原因検索のため医療機関に紹介しながら経過観察します（図15～図18）。なお，この成長曲線では，2歳未満と2歳以上で身長の測定の仕方が異なることによって数値がわずかに違うので，グラフが連続して描かれていません。

2）発育指数

　乳幼児期に体重と身長から栄養状態を知るのに便利な指標として，カウプ指数があります。これは，体重(kg)／(身長(m))² として計算し，やせか肥満かを判断しますが，計算が複雑なので，体重15 kg以下では簡便にカウプ指数を出す計算図表があります（図19）。カウプ指数は成人のBMI (body mass index)と同じ計算方法ですが，子どものカウプ指数の正常域は，年齢により異なるので判定時に注意が必要です。やせているか，太っているか発育状況を判断する図もあります（図20，21）。

　幼児は，厚生労働省が公表している身長体重曲線で判断する方法もあります（図22，23）。

3）SD値（SDスコア）

　6歳以上の発育を評価する方法として，パーセンタイル値による成長曲線もあります（図24）が，厚生労働省の乳幼児身体発育調査報告書に基づいて作図された成長曲線では，平均値とSD値が描かれています（図25）。このSDとは標準偏差のことで，平均値からどれくらい離れているかをあらわしています。SD値は以下のようにして計算されます。

　SD値＝（身長の実測値－平均値）／標準偏差

SD値が0のときは平均値で，平均より低い場合を－SD，－2SD，高い場合を＋SD，＋2SDとあらわし，－2SD未満，＋2SDを越える場合を発育の偏りとします。

　発育は連続していくものなので，パーセンタイル曲線，SD曲線のいずれでも，今後は，出生時から連続した成長曲線で評価していくことが必要です。

4）発育速度

　発育速度は器官によって異なります。身長や体重は，乳児期に最も増加しますが，思春期に第二の成長期があります（図26）。

　神経系の発育は，乳児期に最も急速で，神経細胞の数は2歳半でほぼ成人と同じになります。免疫系（リンパ系）は，学童期に最も活発となり，その後次第に落ち着いていきます（図27）。生殖系の発育が最も遅く，思春期になって成長し始め，一般に女児のほうが男児より早く成長します。

第1章　子どもの発育を知ろう

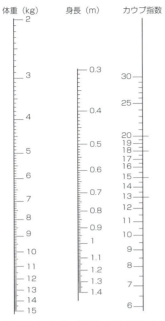

図19 ● カウプ指数の計算図表
計算の仕方の実際は課題5参照。

図21 ● カウプ指数による発育状況の判定

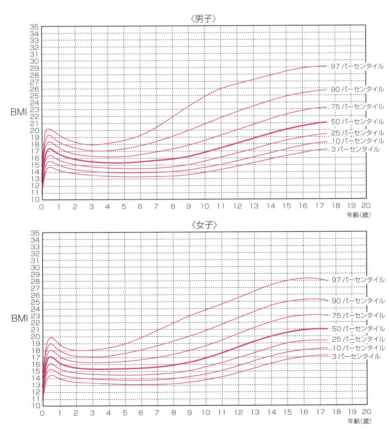

図20 ● BMI（カウプ指数）曲線（男・女）（日本小児内分泌学会：BMI パーセンタイル曲線
（http://jspe.umin.jp/medical/files_chart/BMI_boy_jpn_horizontal.pdf ／ http://jspe.
umin.jp/medical/files_chart/BMI_boy_jpn_horizontal.pdf〔閲覧日：2019.1.11〕））

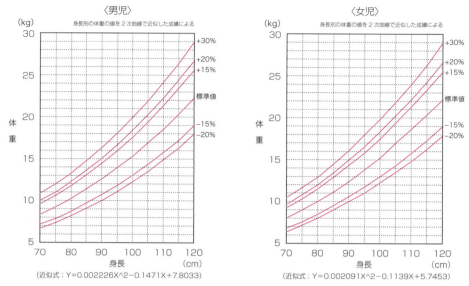

図22 ●**幼児の身長体重曲線**(厚生労働省:平成22年乳幼児身体発育調査報告書(概要). 2010 (http://www.mhlw.go.jp/stf/shingi/2r9852000001tmct-att/2r9852000001tmea.pdf 〔閲覧日:2019.1.11〕))

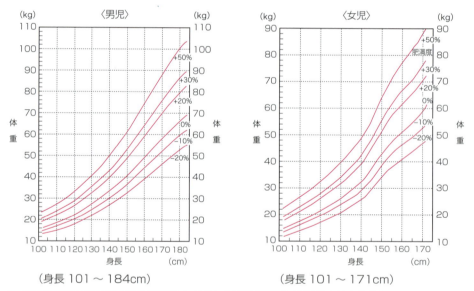

(身長101〜184cm)　　　　　　　　　(身長101〜171cm)

図23 ●**学童用肥満度判定曲線**(日本小児内分泌学会:学童用肥満度判定曲線(http://jspe.umin.jp/public/files/himan6-17_boy.pdf / http://jspe.umin.jp/public/files/himan6-17_girl.pdf 〔閲覧日:2019.1.11〕))

第1章　子どもの発育を知ろう

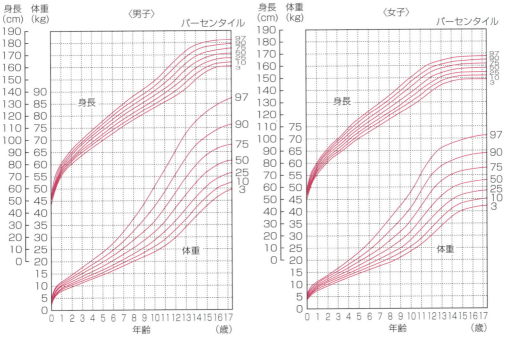

図24 ● 成長曲線（厚生労働省雇用均等・児童家庭局：食を通じた子どもの健全育成（―いわゆる「食育」の視点から―）のあり方に関する検討会報告書．2004（http://www.mhlw.go.jp/shingi/2004/02/dl/s0219-4a.pdf〔閲覧日：2019.1.11〕））

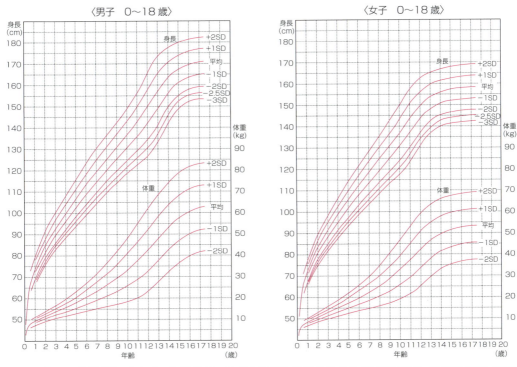

図25 ● SD曲線（男・女）（厚生労働省：平成12年乳幼児身体発育調査報告書．厚生労働省，2000（http://www.mhlw.go.jp/houdou/0110/h1024-4c.html#zu1-8〔閲覧日：2019.1.11〕）／文部科学省：学校保健統計調査―平成12年度結果の概要．2000（http://www.mext.go.jp/b_menu/toukei/001/h12/002.htm〔閲覧日：2019.1.11〕））

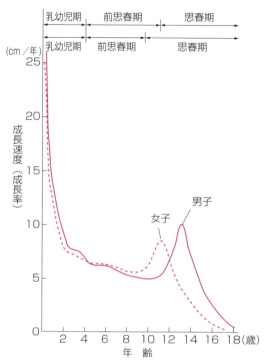

図26 ●**子どもの成長率**(羽二生邦彦:成長障害の診察室から―よくわかる低身長の診療ガイド―. p29, 医学図書出版, 2016)

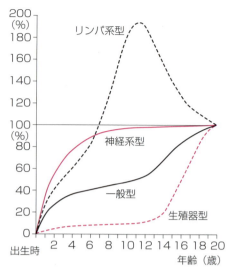

図27 ●**Scammonの発育型**(JA Harris, et al.〔eds〕:The measurement of the body in childhood. University of Minnesota Press, 1930)

体組織の発育の4型。図には、20歳(成熟時)の発育を100として、各年齢の値をその100分比で示してある。

◆一般型:全身の外科計測値(頭径を除く),呼吸器,消化器,腎,心大動脈,脾,筋全体,骨全体,血液量
◆神経系型:脳,脊髄,視覚器,頭径
◆生殖器型:精巣(睾丸),卵巣,副睾丸,子宮,前立腺など
◆リンパ系型:胸腺,リンパ節,間質性リンパ組織

第1章 | 子どもの発育を知ろう

Column 母子健康手帳

昭和17(1942)年に妊産婦死亡を減少させるために，世界で初めて妊産婦登録制度が発足し，「妊産婦手帳」が交付されたのが始まりです。第2次大戦後は，昭和22年児童福祉法で子どもまで拡大した「母子手帳」となりました。その後，何回か改訂され，昭和40(1965)年に母子保健法が成立し「母子健康手帳」と改名されましたが，今でも「母子手帳」という通称名がしばしば使われています。現在は，自治体によって様式が異なっていますが，妊娠中，出産時，子どもの健診時の医学的記録は統一され，妊娠中の体重の変化や乳幼児の発育過程が記録できるようになっています。また妊産婦の健康管理や乳幼児の養育に必要な情報，予防接種，母子保健の行政情報，成長曲線なども盛り込まれています。

母子健康手帳は，妊娠の届け出をした者に対して市区町村が交付し，妊産婦が健診を受けたとき，乳幼児が健診を受けたときに医師，歯科医師，助産師が記載することになっており，個人の健康情報が出生前から出生後まで1冊の手帳に記録されていて，住居が変わっても健康情報を把握することができ，母子保健に果たした役割は大きいといえます。

また，最近は母子健康手帳の父親版として，「父子手帳」を配布している自治体も増加しています。こちらは，法的な裏付けがないので，内容も多彩になっていますが，妊娠から乳幼児の子育ての仕方など，夫・父親の心得が盛り込んであります。

妊娠中の経過

診察月日	妊娠週数	子宮底長	腹 囲	血 圧	浮腫	尿蛋白	尿糖	その他特に行った検査 (含ヘモグロビン)	体 重	特記指示事項	施設名又は担当者名
		cm	cm		− + ＋	− + ＋	− + ＋		kg		
					− + ＋	− + ＋	− + ＋				
					− + ＋	− + ＋	− + ＋				
					− + ＋	− + ＋	− + ＋				
					− + ＋	− + ＋	− + ＋				
					− + ＋	− + ＋	− + ＋				
					− + ＋	− + ＋	− + ＋				
					− + ＋	− + ＋	− + ＋				
					− + ＋	− + ＋	− + ＋				
					− + ＋	− + ＋	− + ＋				
					− + ＋	− + ＋	− + ＋				
					− + ＋	− + ＋	− + ＋				

●妊娠時の記録

出産の状態

妊 娠 期 間	妊娠 週 日
娩出日時	年 月 日 午前後 時 分
分娩の経過	頭位 ・ 骨盤位 ・ その他( ) 特記事項
分 娩 方 法	
分娩所要時間	出血量 少量・中量・多量(mL)
輸血の有無 (血液製剤含む)	無 ・ 有( )

出産時の児の状態	性別・数	男 ・ 女 ・ 不明	単 ・ 多(胎)
	計測値	体重 g	身長 cm
		胸囲 . cm	頭位 . cm
	特別な所見・処置	新生児仮死 → (死亡 ・ 蘇生)・死産	

証 明	出生証明書・死産証書・出生証明書及び死亡診断書 (死胎検案書)
出産の場所 名 称	
分娩取扱者 氏 名	医師 その他
	助産師

●出産の記録

出産後の母体の経過

産後日月数	子宮復古	悪露	乳房の状態	血 圧	尿蛋白	尿糖	体 重	備 考
	良・否	正・否			− + ＋	− + ＋	kg	
	良・否	正・否			− + ＋	− + ＋		
	良・否	正・否			− + ＋	− + ＋		
	良・否	正・否			− + ＋	− + ＋		
	良・否	正・否			− + ＋	− + ＋		

母親自身の記録

●赤ちゃんに初めてお乳を飲ませたのは生後( )時間目です。

●そのとき，与えたお乳は(母乳・人工乳)です。

●気分が沈んだり涙もろくなったり，何もやる気になれないといったことがありますか。── いいえ　はい　何ともいえない

●産後，気が付いたこと，変わったことがあれば医師，助産師などに相談しましょう。

入 浴	産後 日(月 日)	家事開始	産後 日(月 日)
家事以外の労働開始	産後 日(月 日)	月経再開	産後 日(月 日)
家族計画指導	なし・あり(医師・受胎調節実地指導員・助産師)		年 月 日

●出産後の記録

17

保護者の記録[1か月頃]　（　年　月　日記録）

- ●裸にすると手足をよく動かしますか。　　　　　　　はい　いいえ
- ●お乳をよく飲みますか。　　　　　　　　　　　　　はい　いいえ
- ●大きな音にビクッと手を伸ばしたり，
　泣き出すことがありますか。　　　　　　　　　　　はい　いいえ
- ●おへそはかわいていますか　　　　　　　　　　　　はい　いいえ
　（ジクジクしている時は医師にみてもらいましょう。）
- ●子育てについて気軽に相談できる人はいますか。
　　　　　　　　　　　　　　　　　　　　　　　　　はい　いいえ
- ●子育てについて不安や困難を感じることはありますか。
　　　　　　　　　　　　　はい　　いいえ　　何ともいえない

- ◆成長の様子，育児の心配，かかった病気，感想などを自由に記入しましょう。

※これからの予防接種のスケジュールを確認しましょう。

1か月児健康診査　（　年　月　日実施・　か月　日）

体　重	g	身　長	．　　cm
胸　囲	．　　cm	頭　囲	．　　cm
栄養状態	良　・　要指導	栄養法	母乳・混合・人工乳
健康・要観察			
特記事項			
施設名又は担当者名			

次の健康診査までの記録（自宅で測定した身長・体重も記入しましょう。）

年月日	月齢	体　重	身　長	特記事項	施設名又は担当者名
		g	．　　cm		

●出生後の記録

予防接種の記録（1）　　　　Immunization Record

ジフテリア・百日せき・破傷風・ポリオ
Diphtheria・Pertussis・Tetanus・Polio

時期	ワクチンの種類 Vaccine	接種年月日 (Y/M/D)(年齢)	メーカー/ロット Manufacturer/Lot.No.	接種者署名 Physician	備　考 Remarks
第1期初回	1回				
	2回				
	3回				
第1期追加					
第2期(DT)					

BCG

接種年月日 (Y/M/D)(年齢)	メーカー/ロット Manufacturer/Lot.No.	接種者署名 Physician	備　考 Remarks

●薬剤や食品などのアレルギー記入欄

ワクチンの種類 Vaccine		接種年月日 (Y/M/D)(年齢)	メーカー/ロット Manufacturer/Lot.No.	接種者署名 Physician	備　考 Remarks
麻しん(はしか)Measles	第1期				
風しんRubella	第2期				

日本脳炎
Japanese Encephalitis

時　期		接種年月日 (Y/M/D)(年齢)	メーカー/ロット Manufacturer/Lot.No.	接種者署名 Physician	備　考 Remarks
第1期初回	1回				
	2回				
第1期追加					
第2期					

●予防接種の記録

●父親ハンドブック2016(東京都福祉保健局：父親ハンドブック(http://www.fukushihoken.metro.tokyo.jp/kodomo/kosodate/ouen_navi/f_handbook.html〔閲覧日：2019.1.11〕))

●さんきゅうパパプロジェクト準備BOOK 改訂版(内閣府：さんきゅうパパプロジェクト準備BOOK 改訂版(平成29年)(https://www8.cao.go.jp/shoushi/shoushika/etc/project/book_h29.html〔閲覧日：2019.1.11〕))

課題1　自分の母子健康手帳をながめてみよう

子どもの保健の基本的知識や現場で出会うさまざまな保育課題を質問形式にしています。講義ページとあわせて学習しましょう。

ヒント

母子健康手帳では，出生前から出生後の発育・発達などの自分の健康の記録がわかるようになっています。自分が育った過程を振り返るだけでなく，予防接種歴なども確認しましょう。

1) 在胎週数，出生体重，出生身長はどれくらいありましたか？
2) 出生後1週間の体重はどのように変化していましたか？
3) 1か月健診ではどれくらい体重は増えていましたか？
4) 3か月健診，1歳6か月健診のときの体重はどれくらいありましたか？
5) 1歳6か月健診のときの身長はどれくらいでしたか？
6) 頭囲はどのように増加していましたか？
7) 歯はいつから生えてきていましたか？
8) 乳児のときの栄養は，母乳，人工乳，混合栄養のいずれでしたか？
9) どんな予防接種をしていましたか？

課題2　出生児の在胎週数と出生体重を出生時体重基準曲線で評価してみよう

ヒント

在胎週数や出生体重によって，その後の発育が異なります。3ページの図2を用いて評価してみましょう。

在胎37週未満は早産児，出生体重2,500g未満は低出生体重児となります。また出生体重が4,000g以上であれば巨大児で，いずれも発育・発達や合併症に注意する必要があります。

早産児や低出生体重児では，順調に発育した場合も，同年齢の子どもに発育が追いつくまでに時間がかかることがあるので，保育を行うときには配慮する必要がある場合があります。

※1)～5)の解答（例）は182ページ

1) 在胎38週に2,800gで出生した女児
2) 在胎35週に2,600gで出生した男児
3) 在胎40週に4,200gで出生した女児
4) 在胎34週に2,000gで出生した男児
5) 在胎39週に2,400gで出生した男児
6) 自分の在胎週数，出生体重

課題3　乳児の体重，身長，頭囲，胸囲を実際に測定してみよう

1) 体重：体重計の0位を確かめましたか？　オムツ，着衣の重さを差し引きましたか？
2) 身長：頭頂部，足底の位置は正しいですか？　耳眼面は台板に垂直ですか？
3) 頭囲：メジャーの位置は正しいですか？　mm単位まで測定しましたか？
4) 胸囲：メジャーが曲がったり，ねじれたりしていませんか？
5) 上記の体重，身長から体表面積計算図法を用いて，体表面積を出してみましょう。また，自分の体重，身長から同様に体表面積を出し，体重当たりの体表面積はどちらが大きいか比較してみましょう。

課題4　成長曲線をながめてみよう

ヒント
　成長曲線によって子どもの発育を評価し，栄養状態の異常や疾患の発症を発見することができます。子どもの体重，身長を計測したときには，成長曲線で評価するようにしましょう。

1) 標準はどの範囲ですか？
2) 男児と女児はどのように違いますか？
3) 身体発育が最も早いのはどの時期ですか？
4) 2歳のところでグラフに間があいているのは，どうしてでしょうか？
5) 自分の1か月，3か月，6か月，9か月，1歳，3歳のときの体重，身長を成長曲線に書き入れて評価してみましょう。

課題5 カウプ指数を計算して評価してみよう

ヒント

・体重15kgまでは，13ページの図19を参考にしましょう。
　カウプ指数は，基本的には成人のBMIと同じです。体重，身長のバランスを評価し，やせ過ぎの場合には，栄養状態をチェックし，太り過ぎの場合には，将来の生活習慣病の予防に役立てます。計算するときには，単位に注意してください。体重はkg，身長はmにしなければなりません。評価する際，子どもの場合は，年齢によって判定が異なるので気をつける必要があります。

※解答(例)は182ページ

1) 1歳女児：身長75 cm，体重9 kg

2) 3歳男児：身長95 cm，体重11 kg

3) 4歳女児：身長100 cm，体重20 kg

課題6 成長曲線を用いて発育を評価してみよう

ヒント

　成長曲線の異常から予測される疾患をいくつかあげました。
・9ページの図16を用いましょう。

・8ページの図15を用いましょう。

・8ページの図15を用いましょう。

1) 女児で月齢と体重，身長の変化を見ています。
　　出生時：体重2.8 kg，身長48 cm
　　3か月：体重6 kg，身長60 cm
　　6か月：体重7.2 kg，身長65 cm
　　9か月：体重7.5 kg，身長70 cm
　　12か月：体重7.7 kg，身長73 cm

2) 男児で年齢と体重，身長の変化を見ています。
　　出生時：体重3.0 kg，身長50 cm
　　1歳：体重9.5 kg，身長73 cm
　　2歳：体重11.5 kg，身長82 cm
　　3歳：体重13 kg，身長85 cm
　　4歳：体重14 kg，身長90 cm
　　6歳：体重15 kg，身長95 cm

3) 男児で年齢と体重，身長の変化を見ています。
　　出生時：体重2.8 kg，身長48 cm
　　2歳：体重10 kg，身長80 cm
　　3歳：体重12 kg，身長85 cm
　　4歳：体重13 kg，身長88 cm
　　6歳：体重16 kg，身長96 cm

- 15ページの図25を用いましょう。

4) 女児で年齢と体重，身長の変化を見ています。
   出生時：体重3kg，身長50cm
   4歳：体重18kg，身長105cm
   6歳：体重24kg，身長120cm
   8歳：体重35kg，身長140cm

- 8ページの図15を用いましょう。

5) 男児で年齢と体重，身長の変化を見ています。
   出生時：体重3kg，身長50cm
   2歳：体重12kg，身長85cm
   4歳：体重18kg，身長100cm
   6歳：体重27kg，身長113cm

- 10ページの図17を用いましょう。

6) 男児で月齢と頭囲の変化を見ています。
   1か月：37cm　3か月：42cm　5か月：46cm
   7か月：48cm

※解答(例)は183～184ページ

課題7　保護者からの質問に，あなたならどう答えるか？

1) 1か月早産で生まれて，発育は1か月ほど遅れているようだけど，大丈夫かしら？
2) 2歳まで順調に発育していたのに，家庭環境が変わってから，半年間身長が伸びなくなり，体重も増えなくなっています。現在は3歳ですが，最近は落ち着きがなくなってきたのですが，大丈夫でしょうか？
3) 現在9か月の乳児です。身長は標準なのですが，体重が少なめでカウプ指数を計算すると，14.9で少なめです。体重は4か月まで順調に増えていましたが，6か月頃より伸び悩んでいるようです。どのようなことに気をつけたらよいでしょうか？

話し合ってみよう

◆正常な胎児の発育には，どのようなことに気をつけたらよいでしょうか？
◆早産児や低出生体重児の発育・発達でどんなことを注意したらよいでしょうか？
◆体重の増加に問題がある場合は，どんなことに気をつけたらよいでしょうか？
◆身長の増加に問題がある場合は，どんなことに気をつけたらよいでしょうか？
◆発育の遅れがある子どもに対し，保育においてどんな配慮をしたらよいでしょうか？

解答は 184～185 ページ

第1章　おさらいテスト

問1　次の文の（　　　）に適当な語句を入れなさい。また，正しいほうの記号を○で囲みなさい。

①正常の出生児は，出産予定日の妊娠（　　　　　）週くらいに，体重は（　　　　　）g くらいで出生する。

②妊娠 37 週未満に出生した新生児のことを（　　　　　）という。

③体重 2,500 g 未満で出生した新生児のことを（　　　　　）という。

④体重 4,000 g 以上で出生した新生児のことを（　　　　　）という。

⑤正常新生児の身長は約（　　　　　）cm で，頭囲は約（　　　　　）cm である。
　頭部と体部の比率は，新生児は（　　　　　）頭身である。
　頭囲と胸囲では，（　　　　　）のほうが大きい。

⑥新生児の頭蓋骨は結合していない部分があり，前方の骨のすき間を（　　　　　）といい，
　後方の骨のすき間を（　　　　　）という。

⑦身長の測定は，2歳未満は，（　　　　位）で（　　　　部）から（　　　　　）までの水平身長を測る。眼と耳がつくる平面（　　　　面）が台板と垂直になるように頭部を保持する。
　2歳以上では（　　　　位）で足先が（　　　　°）くらいになるようにして直立で測定する。

⑧生後数日間の新生児の体重は，出生体重の 5～10 % ほど減少する。これを（　　　　　）という。

⑨乳児の体重の変化は，通常は，生後3か月で出生体重の約（　　　　　）倍となり，生後1年で約（　　　　　）倍となる。

⑩幼児の身長の変化は，生後1年で出生時身長の約（　　　　　）倍となる。
　（　　　　　）歳で約2倍，（　　　　　）歳で約3倍となる。

⑪発育を評価するパーセンタイル値は，計測値の全体を 100 % としたとき，
　（　　　　　）ほうから数えて何パーセントかを示す値で，50 パーセンタイル値は
　（　　　　　）値である。
　（　　　　　）パーセンタイル値未満，（　　　　　）パーセンタイル値以上は，発育の偏りとして，経過観察する。

24

⑫乳幼児期に体重と身長から栄養状態を知るのに便利な指標として，成人のBMIと同じ（　　　　　指数）がある。これは，（　　　　　　）／（　　　　　　）^{2}として計算し，やせか肥満か判断できるが，年齢によって基準値が異なる。

⑬身長100cm，体重23kgの4歳男児のカウプ指数は（　　　　　）で，この子は（ア　太り過ぎ　イ　普通　ウ　やせ過ぎ）であるといえる。

問2　次の記述について，適切なものに○，適切でないものに×をつけなさい。

①（　　）妊娠高血圧症候群は，流産，早産，低出生体重児出生の重大な原因の一つである。

②（　　）胎児の発育は，母体の適切な食生活によって順調なものとなる。
　　　　喫煙，飲酒などの嗜好は，胎児発育とは関係ない。

③（　　）出生時は，胸囲は頭囲より大きい。

④（　　）頭囲は，乳幼児の前頭部と後頭部の一番突出しているところを通る周径を，メジャーで計測する。

⑤（　　）大泉門の大きさは，対角線の長さで測定する。

⑥（　　）身長，体重などの身体計測値の統計的分布で10パーセンタイルとは，100名のうち大きいほうから10番目の値をさす。

⑦（　　）発育評価において，10パーセンタイル値未満，または90パーセンタイル値以上の場合は発育の偏りがあると考える。

⑧（　　）一般的に体重や身長は，乳児期，幼児期〜小学校低学年で急速に伸び，思春期ではゆっくり伸びる。

⑨（　　）カウプ指数は，成人のBMIと同じ計算で，体格を評価することができ，成人と同様に，25以上となったときに，太り過ぎと判定する。

⑩（　　）体表面積は，体重当たりで比較すると，年齢が上がるにつれ増加する。

問3　乳児の身体測定についての文章の空欄を埋めなさい。

①乳児の体重測定では（　　　　　　）の前に測定し，着衣やおむつの分を差し引き，計測前に体重計の（　　　　　）を確かめる。

25

②身長は，（　　　　　　　）歳未満は，頭頂部から足底までの水平身長を測る。
　2人一組で測定し，児の（　　　　　　　）を固定板につけ，下肢は伸ばし，足底が台板と垂直
になるように測定する。

③頭囲は，前方は（　　　　　　　），後方は後頭結節を通って（　　　　　　　）単位まで測定する。

第2章

子どもの発達を知ろう

- ◆新生児の原始反射を理解する
- ◆子どもの運動発達を理解する
- ◆子どもの精神発達を理解する

A 運動機能の発達とその評価について

1）運動機能の発達の一般的原則

①運動機能の発達は，個人差が大きいですが，一定の**方向性**，一定の**順序**があり，**連続性**があります（図1）。
- 頭部から足部へ
- 身体の中心から末梢へ
- 粗大運動から微細運動へ

②運動機能の発達は神経系の成熟と関係があり，連続しながら段階状に発達します。

③発達は目的にあった動きができるように進みます。また，発達は異なる部位の発達と協調関係を保ちながら進みます。

2）原始反射

刺激に反応して起こる新生児特有の反射を**原始反射**といい，これは，本人の意志とは無関係に出るもので，多くは生後3か月頃には消失します（図2）。原始反射が消失すると，自発的な運動が可能となります。生後3か月を過ぎても消失しないときには，神経系の病気のことがありますので，病院で診察を受けるようにします。

①**探索反射**：口唇や口角を刺激すると刺激の方向に口と頭を向けます。
②**吸啜反射**：口の中に指や乳首を入れると吸いつきます。
③**モロー反射**：頭を急に落としたり，大きな音で驚かすと，両上下肢を開いて，抱きつくような動作を行います。モロー反射の後には，びっくりして泣くこともしばしばあります。
④**把握反射**：手のひらや足の裏を指で押すと握るような動作をします。
⑤**自動歩行**：新生児のわきの下を支えて足底を台につけると，下肢を交互に曲げ伸ばして，歩行しているような動作をします。
⑥**緊張性頸反射**：頭を一方に向けると，向けた側の上下肢は伸展し，反対側の上下肢は屈曲します。

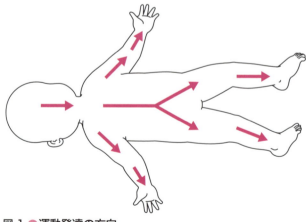

図1 ● 運動発達の方向

〈探索反射〉

〈吸啜反射〉

〈モロー反射〉

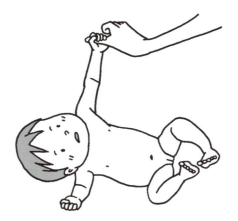
〈把握反射〉

〈自動歩行〉

〈緊張性頸反射〉

図2 ● 原始反射

3）粗大運動の発達（図3）

①首の坐り（定頸・頸定）

上半身の筋肉群の発達によって，胸部を支えて前後左右に傾けても頭部が垂直位に保持できる状態で，生後3〜4か月までには可能となります。仰臥位から両手をもって起こして首がついてくるかどうかをみる**ひき起こし反応**で判断します。

②寝返り

仰臥位から腹臥位へは，多くは生後5〜6か月までにできるようになります。肥満のときには遅れることがあります。

③お坐り

両手をつかないで，1分以上坐れるようになることをお坐りが可能とします。乳児をかかえて上体を床に向かって倒したときに，瞬間的に両手を出して上半身を支えようとする**パラシュート反射**が出るようになるとお坐りもできるようになります。8〜9か月頃までにできるようになることが多く，この頃から，視野が広がり，手で遊ぶことが多くなり，おんぶも可能となります。

④はいはい

両腕で身体を支えて進む**ずりばい**から，**四つばい**で進むようになりますが，お坐りの姿勢で足を使って進む**シャフリングベビー**や，はいはいせずにつかまり立ちをすることもあります。

⑤つかまり立ち

四つばいができるようになると，物につかまって立ち上がることができるようになります。つかまり立ちができるようになると，立位で身体を傾けたときに，足を交差させて転倒するのを防ぐ動作である**ホッピング反応**が認められます。

⑥つたい歩き

つかまり立ちがしっかりできるようになると，手をもつと歩くようになり，手で何かにつかまっていれば移動できるつたい歩きができるようになります。次第に手を離して立つひとり立ちをするようになります。

⑦ひとり歩き

ひとり歩きは，立位の姿勢がとれるだけでなく平衡感覚と交互運動が必要です。通常1歳〜1歳3か月頃までには歩行ができるようになります。

⑧階段の昇り降り

ひとり歩きがしっかりできるようになり，走れるようになると，階段を1段ずつ，足をそろえて昇れるようになります。この頃は階段を降りるときは後ろ向きで降りるようにします。4歳頃には，交互に足を出して階段を降りることができるようになります。

4）微細運動の発達

微細運動の発達には，**協調運動**の発達と**原始反射**の消失が関係します。原始反射である把握反射が3か月頃に消失すると，自発的に物をつかめるようになります。5か月頃になると，顔にハンカチを乗せて視界を遮ると自分の手でハンカチをつかんでとろうとした

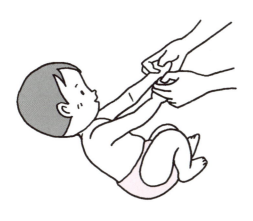
〈ひき起こし反応〉

〈パラシュート反射〉

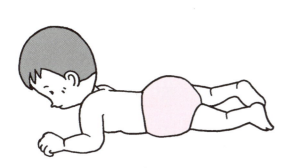
〈ずりばい〉

〈四つばい〉

〈シャフリングベビー〉

〈ホッピング反応〉

図3 ●粗大運動の発達

5〜6か月　　　7〜8か月　　　10〜12か月

図4 ● つかみ方の発達

り，目の前におもちゃをもっていくと手を出したりします。始めは手のひら全体でものをつかんでいますが，次第に拇指(親指)と示指(人差し指)で物をつかめるようになり(図4)，1歳を過ぎると積み木を積めるようになります。手で物をつかめるようになると，手にもった物を口にもっていくようになるので，誤飲事故に注意する必要があります。

3歳になると円をまねて描けるようになり，はさみで紙を切ることもできるようになります。

B 精神機能の発達の測定とその評価について

1) 言葉の発達

生後2か月頃から泣き叫ばない発声ができるようになり，反復的に繰り返すようになります。これを**喃語**といいます。次第に周囲の人の言葉をまねるようになり，10か月頃には，あたかも話しているような**ジャルゴン**という発声がみられます。通常は1歳〜1歳半までに，意味のある単語を言える**初語**が認められます。1歳半頃には単語が意味する絵を指し示す**指差し**ができるようになり，2歳頃までには「マンマちょうだい」「ブーブーきた」などの二語文を言えるようになります。言葉の発達は**個人差**があり，養育環境によっても異なるので，言葉の遅れが本当にあるかどうかは，慎重に判断する必要がありますが，1歳半までに，まったく言葉を理解しないようであれば，難聴はないか，他の神経発達に異常はないか医療機関で相談する必要が出てきます。

2) 知能の発達

胎生7か月で，子宮内の音を記憶しているといわれており，新生児に母親の血液が流れる音を聞かせると落ち着く様子が観察されます。生後5か月になると物が隠されたことを覚え，「いないいないバー」をしてあげると喜ぶようになります。人のすることを模倣する様子は，新生児の頃から舌だしのまねなどが観察されていますが，生後7か月頃より身振りも模倣をするようになり，バイバイ，パチパチなどの手振りやコンニチワ，イヤイヤなどの動作をしたりします。

1歳半になると，クレヨンでなぐり描きができるようになり，3歳頃には，三角形や四角形の形の区別ができ，5歳頃には，三角形をまねて描くことができるようになります。

数の理解は，最初は固まりとして把握し，4〜5歳頃から，数字や文字を書くことができるようになり，自分の年齢や名前がわかるようになります。

3）情緒の発達

　新生児期の始めは興奮のみを示し，泣くだけで感情を示しているように見えますが，次第に機嫌のよいときは**ほほえむ**ようになり，生後4か月頃にはあやしたりすると声をたてて**笑う**ようになります。生後7～8か月頃になると，知らない人をいやがる**人見知り**を示すようになり，2～3歳になると，自分の意志を示して親の言うことを聞かなくなる**反抗期**が認められ，5歳には成人とほぼ同じ感情を示すようになります。

4）社会性の発達

　最初は，母子関係，父子関係から兄弟関係となって，対人関係が広がっていきます。1歳までは，ひとり遊びが主体ですが，2歳になると並んで遊ぶ**平行遊び**，3歳を過ぎると**仲間遊びやごっこ遊び**ができるようになります。

5）精神機能の発達の評価

　子どもの精神発達の評価では，子どもの発達を固定したものととらえない，個人差があることを理解することが大切です。知能の発達は知能指数で表されます。また乳幼児では，発達検査で評価する発達指数であらわされます。知能指数・発達指数は以下のような式で算出されます。

$$知能指数(IQ) = \frac{知能年齢}{生活年齢} \times 100$$

$$発達指数(DQ) = \frac{発達年齢}{生活年齢} \times 100$$

6）発達年齢の検査法

　発達を評価する検査法にはいくつかあります。発達障害を客観的に明らかにするために世界的に利用されてきたものとして，1967年に出版された**デンバー式発達スクリーニング検査**（DDST：Denver developmental screening test）があります（**図5**）。この検査では，子どもの運動発達，言語発達，社会発達を項目ごとに25～90％の子どもが通過する時期が示されており，発達は子どもによって時期の幅があることがわかります。75～90％通過の時期を発達の大体の目安とし，90％通過の時期を過ぎてもできないときには，経過観察をしながら医療機関への受診を勧めます。

　日本のものにもいくつかあり，**遠城寺式乳幼児分析的発達検査法**は，領域ごとの発達の程度を簡単な質問で判定する検査法です（**図6**）。

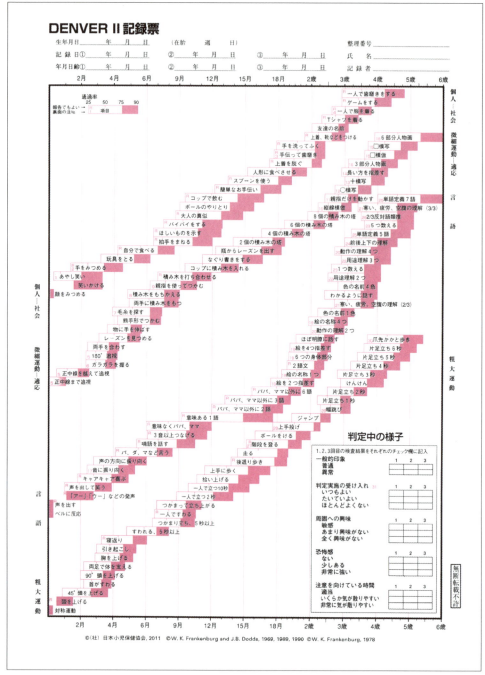

図5 ● 日本版デンバー式発達スクリーニング検査
(WK Frankenburg(著), 公益社団法人日本小児保健協会(編): DENVERⅡ記録表. 日本小児医事出版社, 2009)

移動運動	手の運動	基本的習慣	対人関係	発　語	言語理解
座った位置から立ちあがる	なぐり書きをする	さじで食べようとする	父や母の後追いをする	ことばを1～2語，正しくまねる	要求を理解する(1/3)（おいで，ちょうだい，ねんね）
つたい歩きをする	おもちゃの車を手で走らせる	コップを自分で持って飲む	人見知りをする	音声をまねようとする	「バイバイ」や「さようなら」のことばに反応する
つかまって立ちあがる	びんのふたを，あけたりしめたりする	泣かずに欲求を示す	身ぶりをまねする（オツムテンテンなど）	さかんにおしゃべりをする（喃語）	「いけません」と言うと，ちょっと手をひっこめる
ものにつかまって立っている	おもちゃのたいこをたたく	コップなどを両手で口に持っていく	おもちゃをとられると不快を示す	タ，ダ，チャなどの音声が出る	
ひとりで座って遊ぶ	親指と人さし指でつかもうとする	顔をふこうとするといやがる	鏡を見て笑いかけたり話しかけたりする	マ，バ，パなどの音声が出る	
腹ばいで体をまわす	おもちゃを一方の手から他方に持ちかえる	コップから飲む	親しみと怒った顔がわかる	おもちゃなどに向って声を出す	親の話し方で感情をききわける（禁止など）
寝がえりをする	手を出してものをつかむ	ビスケットなどを自分で食べる	鏡に映った自分の顔に反応する	人に向って声を出す	
横向きに寝かせると寝がえりをする	ガラガラを振る	おもちゃを見ると動きが活発になる	人を見ると笑いかける	キャーキャーいう	母の声と他の人の声をききわける
首がすわる	おもちゃをつかんでいる	さじから飲むことができる	あやされると声を出して笑う	声を出して笑う	
あおむけにして体をおこしたとき頭を保つ	頬にふれたものを取ろうとして手を動かす	顔に布をかけられて不快を示す	人の声がする方にむく	泣かずに声を出す（アー，ウァ，など）	人の声でしずまる
腹ばいで頭をちょっとあげる	手を口に持っていってしゃぶる	満腹になると乳首を舌でおし出したり顔をそむけたりする	人の顔をじいっと見つめる	いろいろな泣き声を出す	
あおむけでときどき左右に首の向きをかえる	手にふれたものをつかむ	空腹時に抱くと顔を乳の方に向けてほしがる	泣いているとき抱きあげるとしずまる	元気な声で泣く	大きな音に反応する
移 動 運 動	**手 の 運 動**	**基 本 的 習 慣**	**対 人 関 係**	**発　　　語**	**言 語 理 解**
運　　　動		**社　　会　　性**		**言　　　語**	

図6 ●遠城寺式乳幼児分析的発達検査表（九州大学小児科改訂版）〈一部抜粋〉

（遠城寺式乳幼児分析的発達検査法，九州大学小児科改訂新装版．慶應義塾大学出版会，2009より一部抜粋）

課題1　自分の母子健康手帳で発達をながめてみよう

子どもの保健の基本的知識や現場で出会うさまざまな保育課題を質問形式にしています。講義ページとあわせて学習しましょう。

1) いつ頃首が坐っていましたか？
2) いつ頃寝返りができるようになりましたか？
3) いつ頃お坐りができるようになりましたか？
4) いつ頃つたい歩きをするようになりましたか？
5) いつ頃歩き出しましたか？
6) いつ頃笑うようになりましたか？
7) 初めて意味のある言葉が言えたのはいつ頃でしたか？

 課題2　子どもの発達の様子から月齢，年齢を評価してみよう

ヒント

発達の標準となる月齢を確認しておきましょう。実際には，個人差がありますが，医療機関に相談する必要がある場合もあります。

※解答（例）は185ページ

1) うつぶせで，首をもち上げている子ども
2) 坐っていて手をついていない子ども
3) 四つばいをする子ども
4) つたい立ちしている子ども
5) つたい歩きをしている子ども
6) ひとり歩きしている子ども
7) 階段を登っている子ども
8) 片足立ちをしている子ども
9) 積木をつかんでいる子ども
10) 指で豆をつまんでいる子ども
11) 三角形を描いている子ども
12) 声をたてて笑っている子ども
13) バイバイをしている子ども
14) 二人遊びをしている子ども
15) ごっこ遊びをしている子ども

課題3　発達によるしつけ，しかり方，ほめ方を考えてみよう

ヒント
発達に応じたしつけの仕方を考える必要があります。

1) 指しゃぶりは早めにやめさせたほうがいい？
2) 自分で離乳食を食べると，こぼしてばかりいるので，上手に食べられるようになるまで，こちらで与えたほうがいい？
3) 添い寝をしていると自立できないので，早めにひとり寝をさせたほうがいい？
4) 1歳半で，こちらが言っていることはわかるのに，言葉が出ないのは遅れている？
5) トイレのしつけを行いたいので，排尿するまでトイレに坐らせておくほうがいい？
6) 1歳なのに，お友達と一緒におもちゃで遊ぶことができないのでしかってもよい？
7) 危ないことは体験して覚えさせたいので，はさみなども小さいうちから使わせてもいい？

課題4　こんな質問にあなたならどう答える？

ヒント
保護者から発育・発達の悩みを相談されることがしばしばあります。ときに，早めに医療機関を受診したほうがよい場合もありますし，心配し過ぎないほうがよい場合もあります。また，育児放棄や愛情遮断症候群を早期に発見できる場合もあります。

1) 早産児で体重も少なく生まれてきて，4か月になっているのにまだ首が坐らないけど大丈夫かしら？
2) 寝返りはするけど，はいはいをなかなかしないけど大丈夫かしら？
3) はいはいをしないで，いきなりつかまり立ちをし始めたけど大丈夫かしら？
4) 後ろにいくはいはいしかしないけど大丈夫かしら？
5) 同じ月齢の子はもう歩いているのに，1歳過ぎても歩かないのは発達が遅れているせいかしら？
6) こちらの言っていることはわかるのに，言葉が出てこないのは遅れているのかしら？

話し合ってみよう

◆ 発育・発達の遅れた子どもに出会ったときは，保護者にはどのように伝えたらよいでしょうか？
◆ 発育・発達の遅れを心配する保護者へ，どのようなことに気をつけて話したらよいでしょうか？

解答は185～186ページ

第2章　おさらいテスト

問1　次の文の（　　　）に適当な語句を入れなさい。

①刺激に反応して起こる新生児特有の反射を（　　　　　反射）といい，生後（　　か月）頃
消失するものが多い。

②新生児を大きな音で驚かしたとき，両上下肢を開いて，抱きつくような動作を行うことを
（　　　　　反射）という。

③新生児の口の中に指や乳首を入れると吸いつく動作を行うことを（　　　　　反射）という。

④運動機能の発達は，一定の方向性，一定の順序があり，頭部から（　　　　　）へ，身体の
中心から（　　　　　）へ，粗大運動から（　　　　運動）へ発達する。

⑤首の坐りは，上半身の筋肉群の発達によって，胸部を支えて前後左右に傾けても頭部が
（　　　　　）に保持できる状態で，生後（　　か月）頃までには可能となる。
仰臥位から両手をもって起こして首がついてくるかどうかみる（　　　　反応）で首が
坐っているかどうかを判断する。

⑥両手をつかないで，1分以上坐れるようになることを（　　　　　）が可能とする。
（　　か月）頃までにできるようになることが多く，視野が広がり，手で遊ぶことが多く
なり，背筋がしっかりするので，（　　　　　）も可能となる。

⑦つかまり立ちがしっかりできるようになると，手をもつと歩くようになり，手で何かにつ
かまっていれば移動できる（　　　　　）ができるようになる。次第に手を離して立つ
（　　　　　）をするようになる。

⑧ひとり歩きは，立位の姿勢がとれるだけでなく，（　　　　感覚）と（　　　　運動）が
必要である。通常（　　か月）頃歩行ができるようになる。

⑨微細運動の発達には，（　　　　運動）の発達と（　　　　反射）の消失が関係する。把
握反射が（　　か月）頃消失すると，自発的に物をつかめるようになる。
1歳を過ぎると拇指と示指で物をつかめるようになり，（　　　　　）を積めるようになる。

⑩生後2か月頃から泣き叫ばない発声ができるようになり，反復的に繰り返すようになる。
これを（　　　　　）という。次第に周囲の人の言葉をまねるようになり，10か月頃に
は，あたかも話しているような（　　　　　）という発声がみられる。

38

⑪言葉の発達は，通常は1歳〜1歳半までに，意味のある単語を言える（　　　　　）が認められる。
1歳半頃には（　　　　　）ができるようになる。2歳頃までに（　　　　　）を言えるようになる。

⑫新生児期の始めは興奮のみを示し，（　　　　　）だけで感情を示しているが，次第に機嫌のよいときは（　　　　　）ようになり，生後4か月頃にはあやしたりすると声をたてて（　　　　　）ようになる。

⑬生後7〜8か月頃になると，知らない人をいやがる（　　　　　）を示すようになり，2〜3歳になると，自分の意志を示して親の言うことを聞かなくなる（　　　　　）が認められる。

問2　次の記述について，適切なものに○，適切でないものに×をつけなさい。

①（　　）新生児期にみられた原始反射は，生命維持のために有利な運動機能なので，その機能が消失したら，発達の異常を疑う必要がある。

②（　　）新生児の把握反射は，手のひらや足の裏に触れたものを握ろうとする反射である。

③（　　）緊張性頸反射は，仰向けで，頭を一方の方向に向けると，向けたほうの上下肢を曲げる反射である。

④（　　）運動発達には個人差があり，首が坐っていなくても，はいはいができる子どももいる。

⑤（　　）運動発達の順序として，手の指がしっかり動くようになってから，肘や肩の動きが正確にできるようになる。

⑥（　　）1か月児は，人の声がするほうを向くことができる。

⑦（　　）4か月児は，動くものを目で追いかけて見る。

⑧（　　）1歳で二語文が話せないときは，難聴か精神発達遅滞を考える。

⑨（　　）1歳半では知っているものを指差すことができる。

⑩（　　）2歳では，三角形をまねて描くことができる。

MEMO

第3章

子どもの健康状態を知ろう

◆子どもの生理機能の発達を理解する
◆子どもの免疫の発達を理解する
◆子どもの感覚の発達を理解する

生理機能の発達

1 体温

1）子どもと成人の体温の比較

　子どもは，成人と比べて体重当たりの体表面積が広いため，環境温に左右されやすいので気をつける必要があります。そのため新生児は，低体温になりやすく，保温が大切ですが，2か月以降の乳児では，着せ過ぎによるうつ熱で体温が上昇することもあります。

　また，子どもは新陳代謝が盛んで産生熱（身体に必要なエネルギーを産生するときに発生する熱）が多いため，平熱が成人より高いことが多く，平熱より1℃以上上昇したときを発熱かもしれないと考えます。さらに日内変動（1日における変化）もあるので，発熱の判断には注意が必要です（**表1**）。

2）体温の測定の仕方

　測定部位としては，わきの下（腋窩），首の下，耳腔内，口腔内，肛門内がありますが，子どもの場合は，じっとしていることが難しいので，口腔内，肛門内の測定はなるべく避けます。測定する部位や体温計の種類により温度が異なるので（**図1**），時間の変化で体温の変化をみるときには，同じ部位で同じ体温計を使って測定することが必要です。

　わきの下で測るときには，体温計の先端が正しく腋窩にあるようにはさみ，しばらくじっとさせて，ひざの上に抱いて一緒に測るようにします（**図2**）。

3）体温に影響する因子

　子どもの体温は1日のうちでも変化があり，朝から夕方にかけて高くなる傾向がありま

表1 ● 年齢別平熱（腋窩体温℃）

乳児	36.2〜37.0
幼児	36.0〜36.9
学童	35.9〜36.8
成人	35.8〜36.8

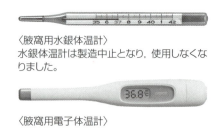

〈腋窩用水銀体温計〉
水銀体温計は製造中止となり，使用しなくなりました。

〈腋窩用電子体温計〉

〈非接触型赤外線体温計〉

〈耳式電子体温計〉

〈皮膚赤外線体温計〉

図1 ● いろいろな体温計（左上：森下仁丹（株）製品，左中央と右上：オムロンヘルスケア（株）製品，左下：（株）日本テクニメッド製品，右下：（株）ピジョン製品）

図2 ●乳幼児の場合の測り方

す。また，食後や運動後も高くなるので，測定は避けるようにします。環境によっても左右されるため，室温や衣服の着せ方にも注意します。通常と変わりない様子なのに普段より高めの測定値が出たときには，服を調整し，環境を涼しくしてもう一度測定します。

4）発熱

体温は中枢神経の視床下部にある体温調節中枢が発汗や毛孔の開閉によって調節していますが，子どもは体温調節中枢が未熟のため（図3），発熱しやすい傾向があります。発熱時は，環境によってさらに体温が上がらないように，薄着にして部屋の温度も涼しくします。

また，子どもでは，体表面積が体重の割に広いことによる**不感蒸泄**（汗以外の皮膚，呼吸から失われる水分のこと）が多く，もともとの必要水分量も多いため，発熱時には特に脱水にならないように水分補給をするように気をつけます。

2 呼吸

1）呼吸の型

呼吸には，肋間筋による**胸式呼吸**と横隔膜による**腹式呼吸**がありますが，乳児では肋骨が水平方向に走っているため，腹式呼吸です。胸式呼吸が加わるようになるのは2歳以降で，7歳以降になって成人と同じような呼吸となります。また，3か月以下の乳児は**鼻呼吸**しかできず，口で息ができないため，鼻腔をふさがないように注意します。**口呼吸**ができるようになるのは生後3か月以降です。

2）呼吸数

乳児の安静時の呼吸数は1分間に30〜40くらいで，年齢とともに回数は少なくなります。また，発熱時や運動時には増加します。安静時に呼吸数が増加しているときは暑かったり，興奮しているときか，体調不良の可能性があります（表2）。

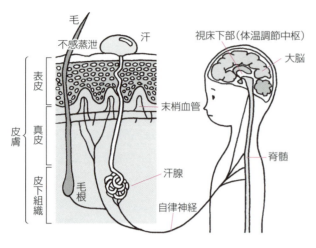

図3●体温調節

表2●年齢別呼吸の型と安静時呼吸数

	呼吸形式	呼吸数（毎分）
乳児	腹式呼吸	30〜40
幼児	胸腹式呼吸	20〜30
学童〜成人	胸式呼吸	15〜20

表3●年齢別安静時脈拍数と血圧

	脈拍数（毎分）	血圧（mmHg）
乳児	120〜140	90/40
幼児	80〜120	100/50
成人	60〜 80	120/60

表4●マンシェットの長さ

年齢	長さ（cm）
3か月未満	3× 5
3か月〜2歳	5×20
3〜5歳	7×20
6〜8歳	9×25
9歳以上	12×30

3 循環

1）脈拍

　年齢が低いほど脈拍数は多く，安静時の乳児は1分間に120〜140です（**表3**）。発熱，疼痛，興奮，運動で脈拍数は増加します。脈拍は手首の**橈骨動脈**で触れて測りますが，触れづらいときには，**上腕動脈**や**大腿動脈**で測定します（**図4**）。

2）血圧

　血圧は，腕を加圧して測定することが一般的ですが，このとき腕に巻くマンシェットの幅によって測定値が異なります。子どもの場合は腕の太さが成長とともに変化するので，年齢に応じた幅のマンシェットを用いる必要があります（**表4**）。

　成長するに従って血圧は上昇します（**表3**）。また，発熱，疼痛，興奮，運動で血圧は上昇します。血圧が病的異常と思われた場合は，子どもでは，心疾患や血管の異常がある場合があるので，片方の腕だけでなく，両腕，両足の四肢の血圧の測定が必要となります（**図5**）。

4 体液調節

1）体液（水分）量

　幼少ほど体重当たりの水分量は多く，成人に比べ体表面積も大きく，不感蒸泄も多いため必要水分量が多くなります（**表5**）。

2）体液の組成

　体液は，細胞内にある細胞内液と，細胞外の組織間液と血液中の血漿にある細胞外液か

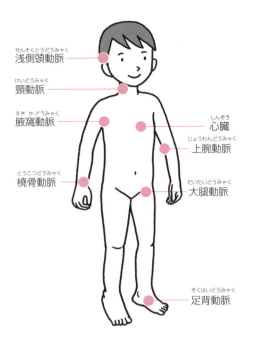

図4 ●脈拍が触れる部位

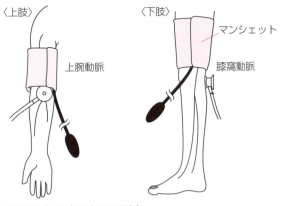

図5 ●上下肢の血圧の測定

表5 ●年齢別体液組成と必要水分量

	体水分量(%)	1日の水分必要量(mL/kg)
乳児	70	150
幼児	60〜65	100
成人	60	50

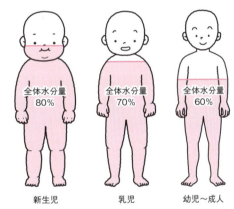

図6 ●体の水分組成の成長による変化

らなります。子どもは成人と比べ，細胞外液の占める割合が多いため，血圧が変動しやすく，より必要水分量が多くなります（図6）。さらに，腎機能が未熟で尿の濃縮力が低いため，薄い尿が出て水分も失われやすいため，子どもは容易に脱水症になりやすいので注意が必要です。

3）尿量の測定と尿検査

オムツをしている場合は，尿が出たときのオムツの重さと尿をしていないときのオムツの重さの差から尿量を出します。尿検査は，トイレで排尿できる場合は採尿コップに中間尿を採取しますが，オムツがとれていない場合は，採尿パックをつけて採取します（図7）。男児より，女児のほうがパックから尿がもれやすいので，しっかり貼りつけることが大切です。

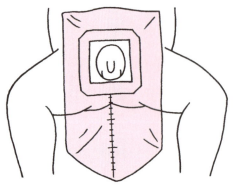

図7 ● 採尿パックによる採尿法

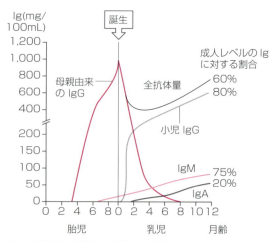

図8 ● 胎児と乳児の抗体量の変化 (Ivan Roitt, et al. (eds): IMMUNOLOGY 8th edition. Mosby-Year Book, 2012)

5 免疫

生体に病原体や異物が侵入すると，白血球などが血管外に出て病原体と戦います。白血球の単球が変化したマクロファージや好中球は病原体を貪食して排除します。白血球のリンパ球は2種類あり，直接病原体を攻撃する**細胞免疫**を行う**T細胞**と，抗体を放出して攻撃する**液性免疫**を担う**B細胞**があります。T細胞は，骨髄から胸腺に移動して，免疫応答をひき起こす抗原を認識できるリンパ球のみが血液へ移動します。

この細胞免疫は，直接，細胞が病原体を認識するので，欠損や機能不全のときは，造血幹細胞移植をする以外に治療はありません。これに対し，液性免疫では，細胞が抗原と反応して抗体を産生し，この抗体が病原体を攻撃するので，すでに抗体を持っている人の血液から取り出した抗体を投与すると，一時的に感染予防となります。母体から新生児に胎盤を通じて移行する抗体は，この液性免疫により，母親がもっている特定の病原体に対する抗体の**免疫グロブリンG**（IgG）が，新生児に移行されるので，免疫が発達していない新生児では，母親から渡された抗体に対する病原体の感染を予防することができます。この他の人が産生した抗体を利用することを**受動免疫**といいますが，その効果は数か月しか持続しません。子どもは受動免疫がなくなった後には自分で病原体に感染して抗体をつくらなければなりません。この自分でつくる免疫を**能動免疫**といい，長期間効果があります。子どもが母親からもらった受動免疫がなくなる6か月頃から，自分でつくる能動免疫ができあがる頃までは風邪などの感染にかかりやすいのはこのためです（**図8**）。また，麻疹などの生ワクチンとよばれる予防接種では，能動免疫で免疫を獲得します。

6 感覚

1）視覚

強い光刺激に対しまぶたを閉じる反射である**瞬目反射**は新生児に認められ，出生時から

表6 ● 視力の発達

1か月	光に反応。顔を動かすとぼんやりと見る。
2〜3か月	追視(動くものを目で追える)ができる。
6か月	視力 0.1
12か月	視力 0.2
1歳6か月	視力 0.3 赤,青,黄色などの区別ができる。 両眼視機能ができあがる。
2歳	視力 0.4
3歳	視力 0.6
6歳	視機能が成人と同様になる。

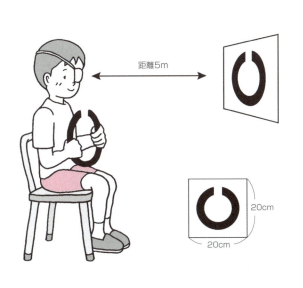

1つずつ明かりがつくタイプ

絵視表

大人が手にもって子どもが同じランドルト環を示す。
図9 ● 視力の検査方法(写真：(株)はんだや商店製品)

物を見ることはできますが，白，黒，灰色しか見えず，視力は遠視気味で，輪郭はぼんやりとしており，左右の眼球運動は協調できず，視野は狭い状態です。

2か月頃に，人の顔を固視できるようになり，4か月頃までに180°までものを追いかける**追視**ができるようになります(**表6**)。

子どもの視力は，3歳頃から視力検査表で行うことができますが，幼児では，視力表の読み分けが難しかったり，左右を表現できなかったりするので，記号が一つだけで切れ目のあるランドルト環や，明かりが一つだけつく視力表を用います。また，子どもにランドルト環をもたせて，片眼をアイパッチで遮蔽して行うこともあります。動物の絵を描いた幼児用の視力検査表を用いるときには，あらかじめ絵の名前を確認してから行います(**図9**)。

2) 聴覚

胎内でも聴覚はあり，出生直後は鼓膜の奥に粘液や羊水がつまっていますが，生後数時間すると音に反応するようになり，高い声によく反応します。3か月までに声がするほう

を振り向くようになり，自分でも声を出すようになります。成人と同じ聴力検査ができるのは，5歳以降ですが，聴力に障害がある場合は，早めに支援を開始したほうがよいので，新生児から聴力検査のスクリーニングを行う方法として，音を聞かせたときに起こる反応を脳波のようにとらえて，その波形で判定する聴性脳幹反応（ABR：auditory brainstem response）検査があります。

幼児で音の周波数により難聴があることを検査するためには，音を聞かせると同時に音が出た方向に人形などを置いてそちらを振り向くように条件付けした後，音の強さと周波数を変えて振り向くかどうかで判定する条件詮索反応聴力検査（COR：conditioned orientation reflex auditometry）を行います。

3）嗅覚

嗅覚中枢は，人間の脳のなかでも，原始的な部分である辺縁系にあります。新生児は，出生後すぐに母乳が嗅ぎ分けられるように嗅覚が発達しています。自分の母親の母乳と他の母乳も嗅ぎ分けるといわれています。

4）味覚

味覚は，離乳食を食べながら体験して記憶して育っていきますので，環境の影響が大きいです。最初は，哺乳中心ですので，甘いものを好み，苦いものや酸っぱいものを嫌がります。食生活によって，味覚の育ちが違ってきます。

5）触覚

皮膚感覚には，触覚の他に，痛覚，温度覚，圧覚がありますが，痛覚は自分の身を守るために大切な感覚なので，出生時からしっかりあり，その後は運動発達とともに，育っていきます。乳児は，口の近辺が敏感なので，口にものを入れて感触を確かめようとしますが，運動発達とともに指先や体の触覚も発達していきます。

Column ｜ **集団生活と感染免疫**

　小児科にはしばしば「最近，急に発熱を繰り返すようになったので，何か免疫の異常が起きたのではないか」と乳幼児を連れてくる保護者に出会うことがあります。一通りの診察をして通常の「感冒」としか思われないことが多く，そんなときには，保育所や幼稚園に通い出していないかを尋ねると，ちょうど通い出してしばらくして発熱を繰り返すようになったという答えが返ってくることがよくあります。子どもの免疫の発達を考えれば，母親からもらった抗体がなくなれば，自分で感染して抗体を作っていくことで，感染しない抵抗力をつけていくようになるので，集団生活を始めた頃に，感染症を繰り返すのは，発達の過程では当然のことではあるのです。でも，保護者にしてみれば，仕事を始めたりしたばかりで，なかなか休めない状況にあります。子どもが発熱して保育所から呼び出され，子どもの心配だけでなく，自分の仕事も続けられるかどうか困惑しています。本当は，子どもの病気のときには，躊躇なく休める「看護休暇」が職場にあるか，周囲の人の理解があればそれほど負担を感じなくてよいはずなのですが，「負い目」を感じた保護者が早めに子どもを保育所に復帰させると，感染直後の免疫力が低下しているときに，また新たな感染症をもらってきて，発熱を繰り返すという状態になります。また，子どもにしてみても，集団生活に慣れないうちに，休んだり登園したりを繰り返すことのストレスも加わったりします。「最初の1年はあせらずゆっくりいきましょう」とアドバイスしていますが，職場での理解が広まるまでは，「病児保育」や「病後児保育」も必要かもしれません。現在は，医療機関併設型と保育所併設型がありますが，事前に登録をしておく必要があります。地域のファミリー・サポートセンターで派遣型の保育を行っている所もあります。

課題 1　健康状態を評価してみよう

子どもの保健の基本的知識や現場で出会うさまざまな保育課題を質問形式にしています。講義ページとあわせて学習しましょう。

1) 体温，脈拍，血圧，呼吸数を実際に測定してみよう。
2) じっとすることができない乳幼児の体温の測り方を考えてみよう。
3) 体温計の種類によって，体温の測定値がどのように違うか確かめてみよう。
4) 体温を測る部位によって，体温の測定値がどのように違うか確かめてみよう。
5) 1日の体温を2時間ごとに測ってみて，食事，活動，睡眠，朝→昼→夜によって，どれくらい変化するか確かめてみよう。
6) 寝た状態，急に立ち上がったときの状態，坐って安静にしたときの状態で血圧がどの程度変化するか確かめてみよう。

話し合ってみよう

◆子どもの体調がすぐれないとき，客観的にその程度を判断するための必要な情報にはどんなものがあるでしょうか？
◆離乳食を進めるときに，どのような体調の変化に気をつけたらよいでしょうか？

課題2 健康状態の評価を具体的に記録してみよう

体温の変化，症状の変化をグラフにしてみよう。

〈体温経過記録表〉

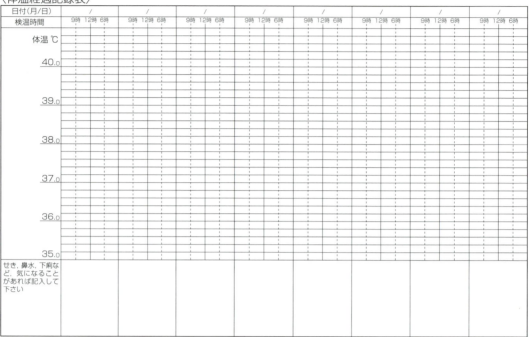

〈症状観察記録表〉

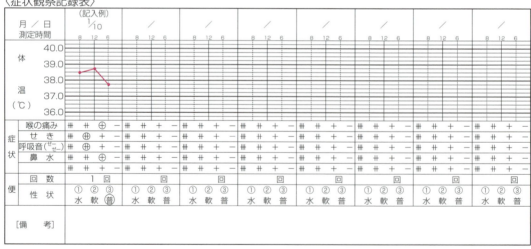

〔記入方法〕
● 体温は朝・昼・夕3回測って下さい。
● 症状，便については該当する項目に○をつけて下さい。　#：非常に強い　＋：強い　＋：弱い　－：なし
①水：水のような便　②軟：軟らかく形のない便　③普：正常な便

第3章｜子どもの健康状態を知ろう

解答は 186〜187 ページ

第3章　おさらいテスト

問1　次の文の（　　　）に適当な語句を入れなさい。

①子どもは，成人と比べ，体重当たりの（　　　　　）が広いため，（　　　　　）に左右されやすい。
　　また，子どもは，新陳代謝が盛んで産生熱が多いため，成人より体温は（　　　　い）。

②子どもの体温は日内変動があり，朝から夕方にかけて，（　　　　く）なる。
　　また，食後や運動後も（　　　　く）なるので，測定は避ける。
　　環境温度に左右されるため，着せ過ぎによる（　　　　熱）に注意する。

③3か月以下の乳児では口で息ができない（　　　　呼吸）であるため，鼻腔をふさがないように注意する。

④乳児では肋骨が水平方向に走っているため，横隔膜による（　　　　呼吸）であり，肋間筋による（　　　　呼吸）が加わるようになるのは2歳以降で，（　　　　歳）以降，成人と同じような呼吸となる。

⑤乳児の呼吸数は1分間に（　　　　　）くらいで，年齢とともに（　　　　く）なる。
　　また，発熱時には，（　　　　　）する。

⑥年齢が低いほど脈拍数は（　　　　く），乳児は1分間に（　　　　　）前後である。
　　発熱，疼痛，興奮，運動で脈拍数は（　　　　　）する。

⑦幼少ほど，体重当たりの水分量は（　　　　く），成人に比べ，（　　　　　）も大きく，（　　　　　）も多いため，必要水分量が（　　　　い）。

⑧体液は，細胞内にある細胞内液と細胞外の組織間液と血漿にある細胞外液からなる。
　　子どもは成人と比べ，（　　　　　）の占める割合が多いため，血圧が変動しやすく，より必要水分量が多い。

⑨生後2か月頃に，人の顔を（　　　　　）できるようになり，4か月頃までに180°まで物を追いかける（　　　　　）ができるようになる。

⑩他の人が産生した抗体を利用することを（　　　　　）というが，その効果は数か月しか持続せず，子どもは，母親から渡された抗体がなくなった後には自分で病原体に感染して抗体をつくらなければならず，この自分でつくる免疫を（　　　　　）という。
　　また，麻疹などの生ワクチンとよばれる予防接種では，（　　　　　）で免疫を獲得する。

51

問2 (　　)内について，正しいものを○で囲みなさい。

①わきの下で体温を測定するとき，体温計の正しい挟み方はこの図の(ア　イ　ウ)である。

②子どもの腋窩での体温では(ア　37.0℃　イ　38.0℃)以上を病的とみる。

③10か月児の呼吸数は1分間に(ア　15〜20　イ　30〜40)であり，6〜10歳児では(ア　15〜20　イ　30〜40)である。

④10か月児の脈拍数は1分間に(ア　100〜120　イ　120〜140)であり，6〜10歳児では(ア　60〜80　イ　80〜120)である。

⑤乳児の1日水分必要量は体重1kg当たり約(ア　50　イ　150)mLであり，成人の約(ア　同量　イ　3倍)を必要とする。

⑥免疫グロブリンの中の(ア　IgA　イ　IgE　ウ　IgG　エ　IgM)は経胎盤免疫であり，母体の抗体が胎児に移行する。

⑦母体より胎児に移行する経胎盤免疫は，(ア　受動　イ　能動)免疫である。

問3 次の記述について，適切なものに○，適切でないものに×をつけなさい。

①(　　)子どもの体温は，食事や運動，環境などの影響を受けやすい。

②(　　)発熱時は，寒がらない程度に薄着にさせる。

③(　　)乳児は胸式呼吸である。

④(　　)乳児は高い声によく反応する。

第**4**章

日常における養護の方法

◆乳幼児の抱っこ・おんぶの仕方，授乳・離乳食の与え方，
　着替え・オムツ替えの仕方，沐浴・保清の仕方，寝かせ
　方を知っておく
◆乳幼児の遊びや外出時に注意することを理解する

A 子どもの抱き方

　首が坐る3～4か月までは，必ず首のところを支えながら抱っこします(**図1**)。首が坐っても，お坐りができる7か月頃までは背筋がしっかりしていないので，背中を支えて抱っこします。乳児をあやすためにわきの下を持って持ち上げて揺らしたり，放り上げたりすると，頭に硬膜下血腫を起こしてしまう**揺さぶられっ子症候群**(SBS：shaken baby syndrome)になることがありますので注意が必要です。SBSは，成長して幼児になったときでも虐待の場合にもみられることがあります。

　首が坐らない赤ちゃんの移動では，抱っこひもやスリングなどを使うときがありますが，体が丸まって首を圧迫したことに気が付かないこともあり，乳児が移動して疲れてしまうので，長時間の使用は控えましょう。

〈首が坐る前〉　　　　　　　　　〈首が坐った後〉

図1●抱き方

頭はおんぶする者より下に

両腕はひもの上に出す

ときどき背中に手をあてる

図2●おんぶの仕方

B　おんぶの仕方

　首が坐り，背筋がしっかりしたらおんぶが可能となります。おんぶをする子どもの頭は，おぶう人の頭より低くし，首にひもがかからないように，手はひもの上に出し，ひもで腕を圧迫しないようにします。子どもは物に手をのばしたり，のけぞったりすることがあるので，ときどき背中に手をあてて様子を確認します（図2）。

C　食事の与え方

1) 母乳と人工乳

　母乳は，消化吸収がよく，特に初乳には感染予防の**分泌型免疫グロブリンA**（分泌型IgA）が含まれており，ミルクアレルギーの心配が少ない，母体の子宮がよく収縮して産後の回復が早い，経済的であるなどの利点があります。欠点としては，ビタミンK欠乏症による出血傾向が発生する可能性があるので，生後1か月時に補充する必要がある，黄疸が遷延しやすい，母乳中の**ヒトT細胞白血病ウイルス**I型（HTLV-I：human T-cell leukemia virus type I）や，**ヒト免疫不全ウイルス**（HIV：human immunodeficiency virus）などのウイルス感染や環境汚染物質が乳児に移行される可能性がある，母乳が十分でなかったときは授乳不足になることがあるという点があげられます。母子相互関係を重視して，母乳が十分出るのであれば，WHOでは，なるべく母乳で育てることを推奨していますが，母親の体調で母乳を与えられないときや母乳の分泌が十分でないときには，人工乳で育てても，栄養的には問題はありません。早産児の場合は，消化管感染のリスクが高いので，母乳を搾乳して，なるべく与えるようにします。

2) 母乳の与え方

　母乳を与えるときには，清浄綿，ガーゼハンカチなどをそろえ，乳首を拭いてから与えます。最初は自律哺乳で，乳児の欲しがるときに与えますが，授乳のリズムができてきたら，授乳の途中に寝たときには，起こしてしっかり飲ませるようにします。また，なるべく両方の乳首を飲ませるようにします。授乳が終わったら，乳児の頭を肩に乗せ，背中をさすって，しっかり排気させます（図3）。

3) 冷凍母乳の与え方

　乳児が入院しているときや，保育所に入所していて，直接母乳を与えることができないときに，搾乳した母乳を専用の母乳冷凍パックに入れて，−20℃に保存します。哺乳させる時，流水か37℃の温水中で解凍し，哺乳瓶に移し，瓶ごと37℃の温水中で温めます。一度，解凍した母乳は，哺乳しなかった場合，細菌の汚染の可能性があるので，保存せず処分します。

4) 人工乳の作り方

　消毒した哺乳瓶，乳首，沸騰した後70℃くらいに冷ました湯を準備し，飲ませる予定の粉末ミルクを1/4〜1/3の湯で溶かして，乳首とカバーをつけよく振った後，規定量

図3 ●排気のさせ方

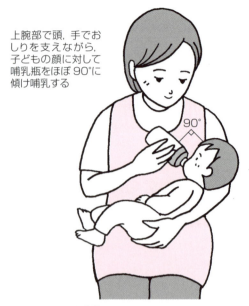

図4 ●哺乳のしかた

の湯を足し，体温ぐらいの温度になるよう流水で冷まします。飲ませる直前に，手にミルクの一部をかけ，熱すぎないか確認してから哺乳します。哺乳瓶による哺乳の場合は，乳児の口に乳首をきちんとくわえさせ，空気を飲み込まないような角度にして授乳することが大切です（**図4**）。飲み残しは雑菌が繁殖しやすいため捨てて，1回分ずつ調乳するようにします。

5）白湯の与え方

白湯は一度沸騰させてから冷ました水のことです。沐浴後などの水分補給のときに与えます。3か月過ぎからは乳児用のイオン飲料でも構いません。乳歯が生えてきたら，離乳食の後に口の中をすすぐ目的で白湯を飲ませる習慣をつけると，虫歯の予防になります。4か月になったら，スプーンからゴックンする練習をかねて与えるのもよいでしょう。

6）離乳食の進め方

哺乳の際に，新生児にみられた**探索反射**や**吸啜反射**は生後3か月頃には消失し，その後は自分の意志による随意的哺乳行為に移行します。身体の発育とともに，母乳やミルクだけの栄養では十分ではないので，母乳やミルク以外の栄養が必要となります。母乳やミルクから幼児食へ移行する過程を**離乳**といい，そのとき与える食事を**離乳食**といいます。口唇の間に固形物を入れると押し出す**押し出し反射**は，生後4か月になると消失するようになりますので，生後5か月から離乳食を開始します。離乳の開始が遅れると鉄欠乏による貧血などが生じるので，発達が良好であるなら，遅くとも6か月までに開始することが望ましいでしょう。

まず，スプーンからゴックンする練習から始め，**離乳食**としてドロドロとした食物を1日1回，一口から，少しずつ量と食材の種類を増やしていきます。初めは，舌の動きは前後のみですが，次第に上下，左右に動くようになり，舌でモグモグすることから歯ぐきで

第4章 日常における養護の方法

表1 ● 離乳期のメニュー例

5～6か月頃	7～8か月頃
[おかゆ] 　おかゆを小さじ5杯くらいすりつぶす。 [ほうれんそうとしらすのペースト] 　ゆでたほうれんそうの葉先15gをすりつぶす。 　しらす小さじ1は，湯をかけて塩分を抜きすりつぶす。	[さつまいもがゆ] 　さつまいも10gは皮をむきラップして電子レンジで加熱してからつぶす。 　おかゆ50gに加えて混ぜる。 [青のり納豆] 　納豆15gをラップに包み，つぶしてから青のり少々をふる。 [果物] 　イチゴ1個をつぶす。
9～11か月頃	**12～18か月頃**
[軟飯] [さんまのかば焼き風] 　さんま20gは片栗粉をまぶして薄く油を熱したフライパンで焼く。 　だし汁大さじ3，砂糖ひとつまみ，しょうゆ2滴くらいを混ぜてさんまにからめ火を消す。 　ほぐしながら盛り付ける。 [トマト] 　トマト1/8個は，皮をむき食べやすい大きさに切って添える。 [里芋と野菜の煮物] 　里芋1個，大根1cm輪切り，にんじん2cm輪切りは皮をむき適当な大きさに切ってだし汁で煮る。しょうゆとみりんで味を少々つける。食べやすい大きさに切る。	[おにぎり] 　茶碗1杯分を持ちやすくおにぎりにする。 [わかめの味噌汁] 　大人のわかめとじゃがいもの味噌汁を取り分ける。 [鶏ピカタ] 　鶏肉皮なし15gを薄くのばして小麦粉をまぶして，とき卵大さじ1と粉チーズ小さじ1/2を混ぜた液にくぐらせて油を熱したフライパンで焼く。食べやすく切る。 [ゆでブロッコリー]　[きゅうりスティック] 　野菜を添える。 [果物ヨーグルトあえ] 　果物（バナナ，キウイ）を切ってヨーグルトと混ぜる。

（太田百合子先生提供）

カミカミすることができるようになります。離乳食を開始して1～2か月して，モグモグできるようになると舌でつぶせる**離乳食**を，1日2回与えます。9か月頃から歯ぐきでつぶせる離乳食を1日3回食とします（**表1**）。特定の食物アレルギーが疑われるときは，その食物を与えるのを遅くします。

　栄養素の大部分を母乳やミルク以外の食物からとれるようになった状態を**離乳の完了**といい，通常は1歳～1歳3か月です。この頃から卒乳を目指し，ミルクも哺乳瓶を使わないようにしていきます。また，離乳食をあまり食べないからと，牛乳や粉乳を飲み過ぎると逆に食事量が減ったりすることがあるので飲み過ぎないように注意します。

7）成長に伴う栄養所要量

　個人が最適の健康状態を維持し，充実した生活活動を営むために，1日に摂取することが望まれる栄養素量を**栄養所要量**といいます。このうち，エネルギー所要量は，体重あたり，0～6か月では110～120 kcal，6～12か月では100 kcalです。

　幼児期は，乳児期についで発育が継続し，運動も活発となるので，栄養は1日3回の食事だけでなく，補食の意味をもつ間食も必要になりますが，甘味の強いものは避け，3回の食事量を減らすことがないように注意します。

　小学校高学年から中学生にかけて，発育が促進する第二次成長期になると，エネルギー

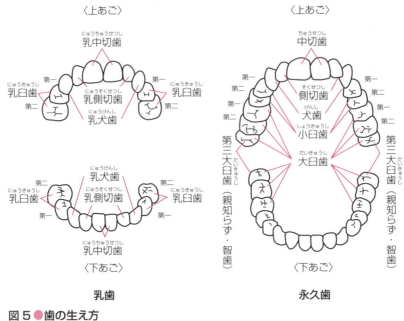

乳歯　　　　　　　　永久歯

図5●歯の生え方

所要量は一生のうちで最高となります。この時期は，個人差がありますが，一般に女子のほうが早く，男子は15〜17歳，女子は12〜14歳です。また，この時期に二次性徴も出現し，特に女子は生理が始まるため，貧血になることがありますので，鉄分の多い食品を摂取するように注意します。

D　口腔内の衛生

　乳児の歯は一般に6か月頃から下顎前歯より生えてくることが多いですが，個人差があります。1歳頃に上下4本がそろい，1歳半頃に，乳臼歯が生えて，3歳頃20本で生えそろいます。永久歯は6歳頃より生え変わり，生えそろうと32本となります（図5）。
　口腔の常在菌が歯に沈着増殖した歯垢が形成され，歯質をとかすと，虫歯になります。乳歯は永久歯と比べると歯質のエナメル質と象牙質が薄く，虫歯の進行も早いのが普通です。虫歯に適切な処置をとらないと，かみあわせが悪くなったり，永久歯の発育が障害され，異所萌出となり，歯並びが悪くなります。また，乳歯についた虫歯菌が永久歯について，生えてきたときから，虫歯になってしまったりします。
　乳児期には甘味飲料の摂取をやめさせる，食後に白湯を与える習慣をつける，幼児期には間食に甘いものをあげ過ぎない，歯磨きは最初は嫌いにならないように習慣づくりをし，乳臼歯が生えたら歯磨きの習慣をつけさせ，磨き方を指導することが大切です（図6）。

E　衣服の着せ方

　新生児は，保温のため，成人より1枚多く着させます。手足が自然な位置になるよう

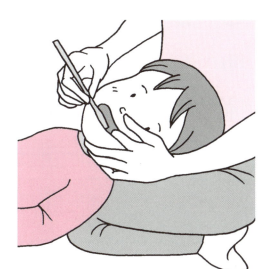 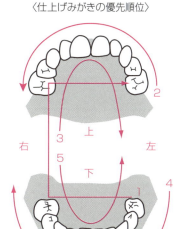

figure 6 ● 幼児の歯磨きの介助の方法(寝かせみがきの場合)

に，ドレス型のものを着せることもありますが，手を動かしやすいように，手首は出すようにします。外出時には，日よけや防寒のため，帽子やおくるみを用います。

3 か月頃になって，首が坐ったら，足を活発に動かせるように，足の部分をズボンタイプにします。離乳食が始まり，動きが活発になったら，着替えがしやすいように，上下を分けた服装でもよいでしょう（図 7）。手袋やくつ下は，外出時の防寒のために用いることもありますが，室内では，運動を制限させないようにするため，特に必要ありません。

F 排泄のさせ方

乳児の腎機能は未熟で，尿の濃縮力が低いため，尿量が多く，排尿回数も多くなります。生後 3 か月までは 1 日 15 ～ 20 回，1 歳までは 10 ～ 15 回で，成人と同じ 5 ～ 6 回になるのは 4 ～ 5 歳です。

排泄は，大脳を介しない仙髄の反射による内括約筋（膀胱括約筋）と，大脳を介して随意的に行う外括約筋（尿道括約筋）によって制御されています（図 8）。乳児では尿意の自覚ができず，排尿回数が多いのでオムツを使用しますが，股関節脱臼を予防するために，なるべく股を開き気味にする「股オムツ」という当て方にします（図 9，図 10）。また，オムツを取り替えるときには，両足を持ち上げると，股関節脱臼を誘発する可能性があるので，腰に手を入れるようにします（図 11）。

尿意の自覚は，2 歳頃で可能となりますので，この頃から**トイレットトレーニング**を開始します。最初は，定期的にトイレかおまるに坐らせ，排泄がうまくできたときには，ほめて覚えさせます。尿意を覚えたときに，すぐ排尿できるようなトレーニングパンツかパンツ式の紙オムツをします。近年，布オムツから紙オムツが一般的になって，排泄の自立

図7 ● 0〜6か月までのベビーウェア

図8 ● 排泄機能の神経による制御

第4章 日常における養護の方法

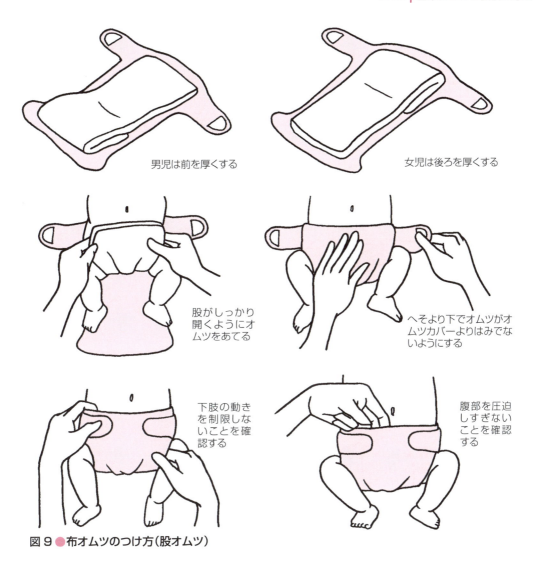

図9● 布オムツのつけ方（股オムツ）

の時期がやや遅れる傾向にあり、昼間の排尿の自立は大体2～3歳となっています。夜間は排尿を抑制する抗利尿ホルモンの分泌が十分でないため、4歳頃までは夜尿があることがあります。夜間のみオムツの使用をしばらく続けます。

　排便も排尿と同様に、乳児は便の貯留が刺激となり、反射的に排便しますが、排便回数は個人差があります。一般的には母乳栄養の乳児のほうが、人工栄養の乳児より回数が多くなります。排便の自立は排尿の自立より早いことが一般的ですが、心理的要素も影響しやすく、排尿は自立しているのに、排便はトイレでできないということもしばしばあります。排便は、時間がかかったり苦痛があったりすると、トイレでできなくなることがあるので、毎朝一定の時間をつくって排便をさせることが大切です。

G 沐浴・入浴のさせ方

　新生児は、ベビーバスで沐浴を行い、1か月を過ぎたら、普通の浴槽で入浴できます。

61

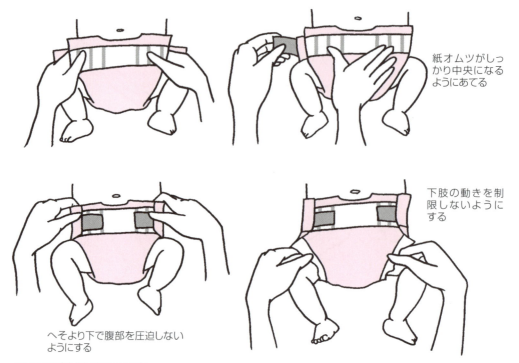

紙オムツがしっかり中央になるようにあてる

下肢の動きを制限しないようにする

へそより下で腹部を圧迫しないようにする

図10 ● 紙オムツのつけ方

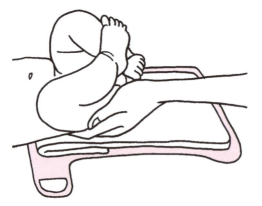

足首を持ちあげてオムツを替えると股関節脱臼の原因となるので，腰の下に手を入れてもち上げてオムツを取り替える

なるべく便はトイレに流し，オムツの内側をまるめてテープで留め，ビニール袋に入れて捨てる

図11 ● 腰に手を入れて新しいオムツと取り替える

沐浴させる人は，爪を切り，服の袖をまくり，よく手洗いします(図12)。沐浴に必要な物品をそろえ，湯の温度は夏場は38〜39℃，冬場は40〜42℃とします。準備がすべて整ってから衣服をぬがせ，タオルを身体に巻いて湯船につけます。洗面器に用意した湯で洗顔します。前面の上半身，下半身の順に洗い，うつぶせの状態でかかえ，背面も同様に洗い，最後にかけ湯かシャワーをかけてあがります(図13)。バスタオルで全体をふいた後は，あせもにならないように，首の周り，わきの下，股の部分をよく乾燥させます。服を着せてから，耳の孔の水分を綿棒でふきとります。

第4章 日常における養護の方法

①手のひらを洗う

②手の甲を洗う

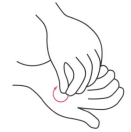
③指先や爪の間も洗う

④指の間も洗う

⑤親指を手のひらでねじるように洗う

⑥手首も洗う

図12● 手洗いの順序
流水で手をぬらして石けんを手に広げて泡立てる。①〜⑥の順に洗って，最後は流水できれいに洗い流して清潔なタオルでふく。

タオルで体をくるみ，両耳をふさいで頭部を支え，足先から湯船にゆっくり入れる

絞ったガーゼハンカチで目，額，頬，顎の順にやさしくふく
顔に湿疹がある場合は石けんを泡立てて手で洗い，きれいな湯ですすぐ

頭部に手ですくった湯をかけ，指の腹で石けんを泡立てて洗い，石けん分をよくとる

頸部・肩・胸・腹を石けんをつけた手で洗い，すすぐ

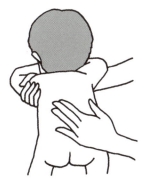
腋窩を支えながら，石けんをつけた手で背中，臀部を洗い，すすぐ

陰部・肛門を石けんをつけた手でよく洗い，すすぐ

図13● 沐浴・入浴のさせ方

H 寝かせ方

　新生児は1日16時間近く睡眠しますが，成長とともに睡眠時間は短くなります。新生児は寝たり起きたりを繰り返しますが，次第に昼，夜の区別がつくようになり，夜間の睡眠も長くなってきます。夜の睡眠時間がまとまってとれるようになると，浅い眠りの**レム睡眠**が少なくなり，深い眠りである**ノンレム睡眠**と，レム睡眠とを繰り返すようになります（図14，図15）。

　寝かしつけるときの姿勢は，かつて欧米では，頭の形への影響を少なくするため，**うつぶせ寝**を推奨していましたが，今まで元気にしていた乳児が，突然，睡眠中に死亡する疾患である**乳幼児突然死症候群**（SIDS：sudden infant death syndrome）が増えることがわかり，**仰向け寝**が勧められています。この疾患は呼吸中枢が未熟なため，睡眠時の無呼吸から覚醒する反応が遅れるために起こると考えられていますが，予防方法についてはまだはっきりしていません。現段階ではうつぶせ寝，両親の喫煙，非母乳栄養がリスク要因とされていますが，これらが原因というわけではありません。原因がはっきりしないので，対応としてはSIDSがあるということをよく理解し，乳児がよく眠っているからといって一人にせず，ときどき様子を見ることが大切です。

　レム睡眠は主に「身体の眠り」で夢を見ることも多く，乳幼児では夜泣き，歯ぎしりなどが見られることがあります。夜泣きがあるときは生活リズムの見直しや昼寝の時間帯，昼間の活動量の見直しも大切です。

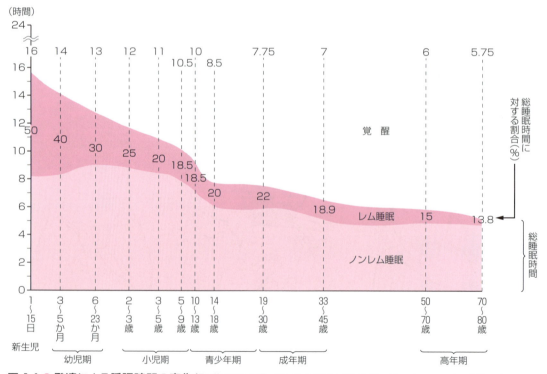

図14●発達による睡眠時間の変化(Roffwarg HP, *et al.*：Ontogenetic development of the human sleep-dream cycle. Science 152：p604-619, 1966より改変)

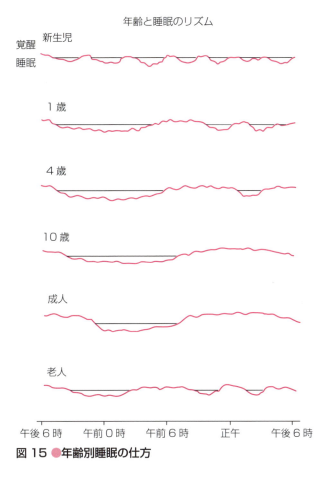

図 15 ●年齢別睡眠の仕方

I 外出時に注意すること

　1か月を過ぎたら，天候がよいときに戸外の空気に触れさせます。日光浴は，紫外線による皮膚の障害の可能性もあるので，なるべく控え，夏場は日焼け対策を行います。首が坐るまでは，長時間の散歩は控えます。ベビーカーで外出するときは，シートベルトを必ず着用します（**図 16**）。車で外出するときはチャイルドシートに乗せて，正しい位置に装着します（チャイルドシートは2000年の道路交通法改正で，6歳未満に使用が義務づけられました）。紫外線対策と保温対策のため，帽子と上着は必ず着用させます。夏場では，水分補給をできるものも持っていきます。水分は，糖分が多いものは控え，塩分などのイオンが入っているもので，なるべく冷やしすぎていないものにします。プールや水遊びなどで，長時間日光を浴びる可能性があるときは，小児用の日焼け止めクリームを使用し，日焼け対策を行います。草むらに行くときには，虫除けスプレーなどで防虫対策も準備します（**表 2**）。

表2 ●外出時の持ち物例

短時間の お散歩	帽子，オムツ，おしりふき，清浄綿，ばんそうこう，使用済みオムツを入れるビニール袋，オムツ替えシート，ティッシュ，ウェットティッシュ，ハンカチ，飲み物
長時間の おでかけ	上記のほかにオムツを多めに。着替え，エプロン，ミルクセット，お湯，ベビーフード，スプーン，お昼寝用シート，バスタオル
夏の暑い日	つばのある帽子，飲み物，おしぼりタオル，日焼け止めクリーム，虫除けスプレー
冬の寒い日	防寒用帽子，手袋，防寒着
病院受診時	診察券，母子健康手帳，健康保険証，乳幼児医療証，体温計，体温経過表，気分が悪くなったときのためのエチケット袋，冷却シート，絵本，飲み物，着替え一組，オムツはいつもより多めに

図16 ●ベビーカー（(株)コンビ製品）

図17 ●SGマーク

図18 ●STマーク

図19 ●SPマーク

図20 ●安全利用表示シール

図21 ●幼児2人同乗用自転車

J　おもちゃと固定遊具

　製品安全協会で定められている**SG**(safety goods)安全基準，日本玩具協会による**ST**(safety toy)規格（おもちゃの安全基準）を通っているか確認します（**図17，図18**）。乳児はおもちゃを口に入れたり，なめたりするので，おもちゃが壊れていないか，かんだりしたときに，危なくないか点検します。

　固定遊具では，ボルトやねじがゆるんでいないか点検します。すべり台では，洋服やバッグなどのひもがからんだりすることがあるので，気をつけます。ブランコでは，動いているところに近寄らないようにし，シーソーでは重さの違いにも気をつけます。公園の遊具には，安心・安全の目印となるSP(safety product)マーク（**図19**）や注意事項をあらわした安全利用表示シール（**図20**）がついていることもあります。

K　自転車の乗せ方

　自転車に幼児を乗せるときは必ず専用のチャイルドシートを装着し，シートベルトをつけ，ヘルメットを着用させます。子どもを乗せるときは，平らなところでスタンドをしっかり立て，ハンドルが動かないようにします。

　3人乗りをするときは安全基準に対応した自転車とし（**図21**），年長の子どもから乗せ，降ろすときは年少の子どもからにし，自転車に乗せたままでそばを離れたり，目を離したりしないようにします。また，自転車は，スタンドがしっかり立ち，スカートの巻き込みを防止するドレスガードがついているものにします。

L　子どもへの声掛けの仕方

　新生児も，出生直後より，音や光，においを感じることができることがわかっています。まだ視力は十分ではなく，自分の思いどおりに身体を動かすことができないので，積極的に声掛けをしてあげましょう。また，授乳，排泄，睡眠のリズムが，最初はばらばらですが，昼夜の区別をして働きかけることで，生活のリズムができてきます。

　2か月を過ぎると，ほほえむことがみられるようになり，自分で声を出すようになります。乳児の声にあわせて声掛けをすると，返事をするように声を出すようになります。

　3～4か月となって，首が坐るようになると，縦抱きもできるようになって，視野も広がります。追視がしっかりできるようになり，音に対して反応して喃語が出るようになり，あやすと笑うようになります。声掛けを積極的に行うことで，お互いのコミュニケーションの楽しさがわかる時期です。背筋はまだしっかりしていないので，あやすときは，背中を支えて，ゆっくり動かすようにします。

　寝返りやはいはいができるようになると動く範囲が広がってくるので，欲しい物の要求も広がってきます。手でつかんだものは何でも口に入れるので，誤飲に気をつけます。

1歳を過ぎると，離乳食が完了し，歩行が開始，意味のある発語がみられ出します。身振りで要求がわかるときでも，言葉での声掛けを意識的に行います。行動範囲も広がり，自分の意志がはっきりしてくるので，事故に気をつけながら，生活習慣を身につけていきます。危ないことや，してはいけないことは，その場で教えることが大切です。緊急時には身体で教えることも必要ですが，叩いたりすると，そのことにとらわれて伝えたいことが十分伝わらなくなることもあります。毅然としながら，繰り返し教え，うまくできたときには，しっかりほめることで，生活習慣を身につけていくようにします。次第に自我が芽生えて，何でもいやがる素振りをするいわゆる「反抗期」となることもありますが，叱るだけでなく，気持ちを別の方向にむけながら，誘導するような声掛けも大切です。

　3歳近くになってくると，言葉が発達し，細かな作業もできるようになって，同年齢の子どもと一緒に行動できるようになってきます。友達同士のルールも少しずつ覚えていく時期です。けんかになったときにも，一方的にやめさせるのではなく，お互いの言い分をしっかり聞いて受け止めていくことも大切です。

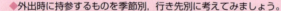
◆外出時に持参するものを季節別，行き先別に考えてみましょう。
◆季節に応じた衣服，室内，外出時の衣服を考えてみましょう。

第4章｜日常における養護の方法

課題 1 ｜ 手洗いの方法を実習してみよう

子どもの保健の基本的知識や現場で出会うさまざまな保育課題を質問形式にしています。講義ページとあわせて学習しましょう。

1) 最初に丁寧に手洗いするとき
2) 途中で簡単にするとき
3) オムツを替えたとき
4) ミルクを与えるとき
5) 食事の準備をするとき

課題 2 ｜ 月齢に応じたオムツの当て方を実習してみよう

1) 紙オムツ
2) 布オムツ
3) トレーニングパンツ
4) 股関節の開きが悪い乳児

課題 3 ｜ 月齢に応じた保清方法について考えてみよう

1) 首が坐らない乳児の沐浴
2) 首が坐っているが，お坐りができない乳児の沐浴
3) つかまり立ちできる乳児の沐浴
4) 洗顔だけをする場合
5) オムツかぶれがある場合
6) 入浴ができないため，身体を清拭する場合

課題 4 ｜ 月齢に応じた着替えの方法について考えてみよう

1) 寝返りをしない乳児
2) 寝返りするようになった乳児
3) 離乳食を開始した乳児
4) はいはいをするようになった乳児
5) つたい歩きをするようになった乳児
6) トイレットトレーニングをしている幼児

第4章 講義

第4章 演習

第4章 テスト

課題とテストの解答（例）

69

課題 5　哺乳，離乳食作りを実際に体験してみよう

1) ミルクを実際に作ってみて，哺乳瓶の乳首の違い，ミルクの銘柄による違いを体験してみよう。
2) 離乳食の準備期の果汁，野菜スープ
3) おもゆ，おかゆ，離乳食（生後6か月頃，7～8か月頃，9～11か月頃，12～18か月頃）の違いを体験してみよう。

課題 6　乳幼児の発達に応じた歯磨きを考えてみよう

1) 乳臼歯が生えてきたとき
2) 乳歯が生えそろったとき
3) 永久歯が生え変わるとき

課題 7　月齢に応じた抱っこの仕方，おんぶの仕方を実習してみよう

1) 首が坐っていないときの抱っこの仕方
2) 首が坐っているがお坐りはまだできないときの抱っこの仕方
3) お坐りができるが歩行ができないときのおんぶの仕方
4) 歩行ができるようになったときのおんぶの仕方

課題 8　ラック，ベビーカー，歩行器，チャイルドシートに乗せたときの安全チェックをしてみよう

ヒント
ベビーカーには，A型とB型があり，A型は生後2か月から2, 3歳まで使えるゆったりタイプ，B型は7か月から2, 3歳まで使えるタイプです。近年はA型がAB兼用となり，主流となっているようです。

1) ラック
2) ベビーカー　A型
　　　　　　　　B型
3) 歩行器
4) チャイルドシート　乳児
　　　　　　　　　　　幼児

課題9 発達に応じたおもちゃを考え,安全チェックをしてみよう

※解答(例)は187ページ

次のおもちゃはどの年齢に適しているだろうか？
1) 0～3か月
2) 3～6か月
3) 6～9か月
4) 9か月～1歳6か月
5) 1歳6か月以降

A
- 手押し車,カタカタ
- 電話
- プルトーイ

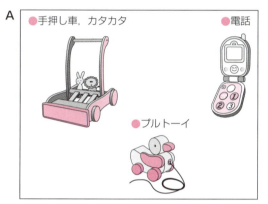

B
- オルゴールメリー
- パイルのぬいぐるみ
- ガラガラ

C
- おきあがりこぼし
- 歯がため
- 布製のボール

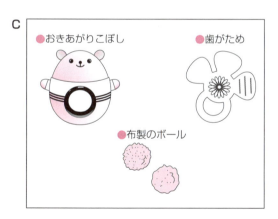

D
- 大きめのぬいぐるみ
- 木琴,たいこ,ラッパ,タンバリンなどの楽器
- ゴム製の転がして遊ぶボール

E
- 積み木,ブロック
- 砂遊び
- お絵かきの道具

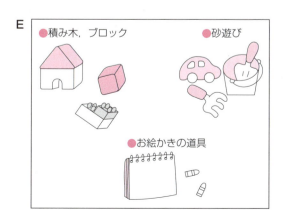

解答は 187 ページ

第4章　おさらいテスト

問1　次の文の（　　）に適当な語句を入れなさい。

①母乳やミルクから幼児食へ移行する過程を（　　　　　）といい，そのとき与える食事を（　　　　　）という。口唇の間に固形物を入れると押し出す（　　　　　）は，生後4か月になると消失するようになるので，この頃から開始する。開始が遅れると鉄欠乏による（　　　　　）などが生じるので，遅くとも6か月までには始める。

②栄養素の大部分を母乳やミルク以外の食物からとれるようになった状態を（　　　　　）といい，通常の時期は（　　　　　）である。この時期に母乳や哺乳瓶による哺乳をやめることを（　　　　　）という。

③乳児の歯は一般に4〜6か月に（　　　　　歯）より生えてくる。1歳頃に上下（　　　　　）本がそろい，1歳半頃に，（　　　　　歯）が生えてくる。

④新生児は1日16時間近く睡眠し，寝たり起きたりを繰り返すが，次第に昼，夜の区別がつくようになり，夜間の睡眠も長くなってきて，深い眠りである（　　　　　）と浅い眠りである（　　　　　）とを繰り返すようになる。

問2　（　　）内について，正しいものを○で囲みなさい。

①母乳栄養児では，ときに頭蓋内出血を起こすことがあるので，ビタミン（　A　B_1　B_2　B_6　B_{12}　C　D　E　K　）を飲ませる。

②（　IgG　IgA　IgM　IgE　）は母乳（特に初乳）に多く含まれる。

③幼児や思春期以後の女性に多いのは（　亜鉛　銅　鉄　）欠乏性貧血である。

④乳歯は生後（　2か月　6か月　1歳　）頃から生えはじめ，3歳頃には（　12本　20本　24本　）となって，生えそろう。

⑤永久歯に生え変わるのは，（　3歳　6歳　10歳　）頃で，まず第1大臼歯が生えはじめ，全部で（　20本　24本　32本　）出そろって完成する。

問3　次の記述について，適切なものに○，適切でないものに×をつけなさい。

①（　　）分娩後，日の浅いうちに分泌される母乳を初乳といい，初乳中にはIgAが含まれ，新生児の腸内感染を防ぐ。

②（　）子どもの栄養は，身体の維持，筋運動のための栄養に加えて，発育・発達のための栄養が必要である。

③（　）離乳準備期は食べることに慣れさせる時期であるが，食べるようであればどんどん進める。

④（　）離乳開始の目安は，固形物を口に入れても押し出さなくなる5〜6か月頃が適当である。

⑤（　）子どもの消化吸収機能は未発達なので，積極的にさまざまな食べ物を摂取することにより，アレルギーを予防することができる。

⑥（　）2〜3歳までの夜尿は普通であり，特に神経質になる必要はない。

⑦（　）夜尿症が子どもにしばしばみられるのは，大脳の排尿抑制中枢の未熟や夜間の抗利尿ホルモンの分泌不足によるものである。

⑧（　）夜尿を防止するために，夜間決まった時刻に起こしてトイレに連れていくようにする。

⑨（　）5歳以降の毎日の夜尿は，夕食後の飲水を禁止しても続くときには，小児科を受診する。

⑩（　）夜尿症には，夜間に抗利尿ホルモンの分泌が不十分な夜間多尿型がある。

⑪（　）乳児が眼瞼をうすく開けて眼球をキョロキョロ動かしているのはノンレム睡眠という一種の覚醒状態である。

⑫（　）レム睡眠の時には夢を見るといわれ，夜泣き，歯ぎしりなどがみられることがある。

⑬（　）睡眠には，レム睡眠といわれる主に「脳の眠り」とノンレム睡眠といわれる「身体の眠り」があり，乳幼児ではレム睡眠が多い。

⑭（　）夜泣き防止の注意点として，昼寝を含めた1日全体の睡眠時間が長過ぎないようにする。

⑮（　）乳幼児突然死症候群のリスク要因の一つには，うつぶせ寝があげられる。

MEMO

第5章

子どもの保育環境づくり

◆乳幼児のいる施設における屋内・屋外の衛生管理の方法
　を知っておく
◆子どもの日常の健康管理で大切なことを知っておく
◆子どもの健診でどのようなことが行われているかを
　知っておく

A 施設環境

保育所の設備は児童福祉施設最低基準に定められています。それによると、2歳未満児の乳幼児室と、2歳以上児の幼児室とに分けられ、子ども一人当たりの面積が、室内、屋外別に決められています。また、調理室、トイレや、2歳未満では医務室、2歳以上は屋外遊戯場を別に設けることになっています（表1）。

1）屋内の衛生管理

保育所や施設の設備における消毒については、学校環境衛生基準、感染症新法（感染症の予防及び感染症の患者に対する医療に関する法律）や学校保健安全法施行規則などに定められています。食事と関連する調理場や給食用のテーブル、水まわりの場所であるトイレ、洗面所、沐浴室のほかに、直接触れるドアのノブやおもちゃ、ロッカーなどは消毒液で拭くことが大切です。1年に1回、飲料水の水質検査や、室内の空気の汚染度の測定をしなければなりません。室内空気の検査は、粉塵や細菌による汚染だけでなく、建築材料から発生するホルムアルデヒドなどの揮発性有機化合物の濃度測定も行わなければなりません。

①おもな設備の消毒の方法

- 手指：流水、薬用石けんで手洗い後、手指専用消毒液（ウエルパス®など）で消毒。
- 汚染した衣類：洗濯後、300倍次亜塩素酸ナトリウム6％（ピューラックス®）に30分浸して洗う。
- ぬいぐるみ：定期的に衣類と同様に洗濯、消毒。日光消毒。
- 哺乳瓶、歯ブラシ：洗った後、100倍次亜塩素酸ナトリウム1％（ミルトン®）につける。
- おもちゃ、ドアノブ：消毒用エタノールで拭く。
- トイレ：逆性石けんまたは、消毒用エタノールで拭く。

②調理室と調理員の衛生管理

保育所では、提供する食事は施設内で調理することになっています。調理業務を委託することも可能ですが、施設内の調理室で調理します。調乳室は、専用の部屋があるとよいですが、調理室の一部を使うことができます。調理室、調理員については、食品衛生法や学校環境衛生マニュアル、学校給食衛生管理基準に規定されており、保健所の指導のもとに行います。調理員のトイレは、調理室の隣に専用として設備し、施設の定期点検は年1回、設備は年2回行う必要があります。調理員は、定期健診の他に、定期的検便を行い、衣服や作業衣の洗濯、マスク、帽子、調理靴の着用が必要となります。

表1 ●児童福祉施設最低基準による保育所施設基準

2歳未満の乳幼児	乳児室	1人につき 1.65 m² 以上
	ほふく室	1人につき 3.3 m² 以上
2歳以上の幼児	保育室または遊戯室	1人につき 1.98 m² 以上
	屋外遊戯場	1人につき 3.3 m² 以上

最近は，食物アレルギーの子どもが増えており，調理場所，調理器具も区別して調理する必要があります。食器やトレーも色などで分けて，他の子どもと間違えないような配慮を行い，食事を渡すときにもきちんと伝達できるようにしておきます。子どもが食事のおかわりをするときは，間違えないように栄養士か調理師が立ち会うようにすると良いでしょう。

③汚物の処理

感染症が流行しているときには，排泄物の処理や吐物の処理，鼻水，唾液がついたものの処理は，他のものと分けて行う配慮が必要です。特に，吐物や下痢便の処理では，他の子どもや人から離れた特定の場所で行うようにします。使い捨ての手袋やマスクを着用して行い，おむつや拭き取った紙などもビニール袋に入れて所定の場所に置きます。床や設備が汚染したときには，0.1％次亜塩素酸ナトリウムで拭きます。処理するときは，なるべく部屋を換気し，処理後は丁寧に手洗いします。

2）屋外の衛生管理

①砂場

砂場の衛生管理のためには，定期的に砂を掘り返して点検し，砂遊びの後には，よく手洗いさせます。小動物により汚染されることもあるので，使わないときはシートで覆っておきます。

②動物小屋

動物小屋のそうじは，マスクをして行います。動物に触れた後には手洗いをするように指導します。また，アレルギー疾患のある子どももいるので，動物の接触によるアレルギー反応を起こす可能性がないか，あらかじめ保護者に問い合わせておきます。

③プール

プールの管理は，学校環境衛生の基準に準じて行います。プールに入れる基準は，水温は22℃以上で，気温は水温より高いことが必要です（水温と気温の合計が50℃以上のところが多いです）。プールを開いているときは水質検査を定期的に行い，遊離残留塩素濃度やpH（水素イオン濃度指数）をチェックします（**図1**）。遊離残留塩素濃度は0.4 mg/L以上，1.0 mg/L以下，pH5.8以上，8.6以下が望ましいです。使用しないときに，子ども

Column　シックハウス症候群（SHS：sick house syndrome）

1970年代，欧米のオフィスビルで，省エネのため気密化が進んで，室内空気が汚染されたことで健康被害が起こったシックビルディング症候群に由来する言葉です。わが国では，オフィスビルでは換気基準があり，問題となりませんでしたが，一般住宅では規制対象外であったため，健康被害が問題になり，シックハウス症候群と呼ばれるようになりました。原因物質は，建築材料や内装材などから発生するホルムアルデヒド，トルエン，キシレン，パラジクロロベンゼンなどや防虫剤などの化学物質もあります。症状は，皮膚の刺激症状，鼻汁，流涙，喘鳴，吐き気，頭痛，倦怠感などいろいろあり，アレルギー疾患との関連が考えられています。この健康被害が明らかになった後，建築基準法が改正されて建築用材で用いられる化学物質を規制することで対策が進んでいます。学校環境における室内空気中の化学物質による健康被害を同様に「シックスクール症候群」と呼んだりしますが，学校保健安全法に基づく「学校環境衛生の基準」で4つの室内化学物質の濃度測定が義務づけられています。

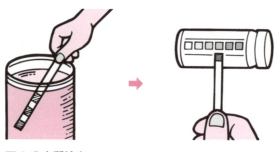

図1 ●水質検査
検査したい水に試験紙を浸して一定時間反応させ，比色表で判定する。(日産化学工業(株)製品)

が入って遊んだりしないように，柵やカバーをかけるようにします。プールに入るときは，子どもの健康チェックを行い，体温を測り，保護者の承諾を確認します。水に入る前はシャワーをあびて準備体操を行います。また，皮膚の敏感な子どももいるので，プールの後には，シャワー，うがい，眼の洗浄をし，タオルは共用しないように注意します。

B　日常の健康管理

　子どもの健康管理を行うためには，保育に関わる人同士で，情報の共有と連携が大切です。保育所の連絡帳では，体温，食欲，排便，睡眠について，保護者と保育者とで連絡を取り合います。幼稚園，学校においても，いつもと健康状態に変化があるときには，必ず連絡をすることが大切です。途中で発熱などの体調の変化があったときのための連絡先は，複数登録しておき，変更がないか，毎年更新します。今までの経過を知っておくために，子どもがかかりやすい病気にかかったことがあるか，予防接種がどこまで済んでいるか，アレルギーとして気をつけなければならないことがあるかなどの情報も共有しておきます。

　熱性けいれんを起こしやすい場合や喘息発作があるとき，アトピーがある場合など，日常生活でどのように対応するか，必要に応じて医療機関での指導内容について，保護者と直接面談して確かめておきます。

C　健康診査(健診)

　新生児期，生後1か月健診は，医療機関を中心に任意で行われています。

　母子保健法が定めているものは，1歳6か月，3歳健診で，3〜4か月健診も自治体が任意で定期健診として，保健センターなどで集団で行われていることが多いです。小児科または内科医師による健診のほか，歯科健診，栄養相談，保健師による保健相談などが行われます。

1）1か月健診

出産した病院で母子一緒に行うことが多く，体重，身長，頭囲，胸囲を測定し，授乳が適切か，発育は順調か，先天的疾患がないか，臍部はきれいに回復しているかなどを診察し，母乳に足りないビタミン K の投与を行います。出産後に行った検査で異常がある場合は，その後の指導も行います。体重増加が不十分な場合は，原因を探り，経過観察します。

2）3〜4か月健診

体重はおよそ出産時の2倍となります。首が坐っているか，追視があるか，音に対する反応があるか，喃語の発声があるか，先天性股関節脱臼はないかなど，発育・発達の異常をチェックし，離乳食開始に向けての指導を行います。

3）1歳6か月健診

離乳食が完了し，歩行の開始，言葉の発語がみられているかを診察します。発語がみられないときには，聴力の異常がないか，精神発達の指導が必要かを判断します。また虫歯の予防の指導も行います。

4）3歳健診

視力，聴力の異常はないか，運動，精神発達の異常がないか，最終的にチェックします。聴力の左右差や斜視の有無も診察します。また，尿検査を行い，腎臓病，糖尿病の早期発見を行います。

5）学校健診

学校保健安全法の施行規則により，毎学年6月末日までに定期健康診査が実施されます。健診の結果，異常が疑われた場合は，保護者に21日以内に連絡し，保護者の責任において，医療機関を受診するように指導します。

Column　**保育者の健康**

子どもの保育に関わるときには，子どもと一緒に動き回る体力のほかにも，子どもに多い感染症に対して，自分自身も感染を広げない対応，子どもや保護者との関わりでの精神的な悩みへの対処など，自分の身体や心の体調管理が大切となります。

①腰痛・肩凝り予防

子どもを抱き上げたり，おんぶしたりということが多いため，しばしば無理をすると腰痛・肩凝りが慢性化します。普段から意識的に体操したり，子どもを抱き上げるときに腰に負担がかからないように，前かがみの姿勢はなるべくしないように気をつけます。

②感染症対策

子ども特有の感染症にかかったことがあるか，予防接種をしているか，自分の母子健康手帳を参考にして調べておきましょう。麻疹や風疹は1回だけの予防接種では感染を予防する抗体が十分できていない可能性があります。子どもの保育に関わるときには，あらかじめ医療機関で血液検査をしてもらい，抗体があるか調べておくか，2回目の予防接種を受けておく必要があります。水痘（水ぼうそう），流行性耳下腺炎（おたふくかぜ）も感染したことがないときには，注意が必要です。病児の保育に関わるときには，感染の有無を確かめるために，抗体価の検査を行い，必要に応じて予防接種を行います。また，普段から手洗い，うがいは徹底するようにし，体調が悪いときには検温する習慣をつけましょう。

③ストレス解消法

休みのときには，リフレッシュすることも大切です。仕事における悩みやわからないことは，自分のなかにためこまず，適切な人に積極的に相談していくことも必要です。

課題 1 屋内の設備の消毒方法について，実習してみよう

子どもの保健の基本的知識や現場で出会うさまざまな保育課題を質問形式にしています。講義ページとあわせて学習しましょう。

1) 手洗い場
2) トイレ
3) ベッド
4) 調理場
5) ドア
6) 沐浴槽
7) 遊具
8) おもちゃ
9) 絵本
10) 床

 課題 2 プールの水質検査を実習してみよう

1) pHチェック
2) 遊離残留塩素濃度

 課題 3 プールに入れる条件をまとめてみよう

1) 水温や気温
2) 水質検査
3) 子どもの体調

 課題 4 母子健康手帳で，健診でチェックされていることを確かめてみよう

1) 1か月健診
2) 3〜4か月健診
3) 1歳6か月健診
4) 3歳健診

第5章 | 子どもの保育環境づくり

解答は187～188ページ

第5章　おさらいテスト

問　次の記述について，適切なものに○，適切でないものに×をつけなさい。

①（　　）保育所の施設基準では，子ども一人当たりの面積は2歳未満と2歳以上で異なる。

②（　　）プールで活動するときは，水温は気温より高いことが必要である。

③（　　）子どもの日常の健康管理のために必要な情報収集は入所時にのみ行えばよい。

④（　　）保育者は麻疹の予防接種は1回行えばよい。

⑤（　　）1か月健診は，医療機関で任意に行われている。

⑥（　　）3歳児健康診査などの母子保健サービスの実施主体は市区町村である。

⑦（　　）乳幼児健診は，3歳までである。

⑧（　　）学校健診の結果，異常が疑われた場合は，学校の責任において，医療機関を受診するように指導する。

⑨（　　）乳幼児健診では，尿検査を毎回行う。

⑩（　　）暖房中は，定期的に窓を開けて空気を入れ替えるが，かぜが流行しているときには，室内が寒くならないように換気をしない。

⑪（　　）冷暖房を使用するときには，子どもの高さになって，床面近くの温度を確認する。

⑫（　　）消毒用アルコールは，ノロウイルスに有効である。

81

MEMO

第6章

よくかかる病気について知ろう

◆子どもの体調不良時の対応を理解する
◆子どもがよくかかる感染症の種類と予防，看護の仕方を
　理解する

A　病気についての基礎知識

　新生児は，母体から胎盤を通じて感染を予防する抗体をもらうので，母親が罹患したことのある疾患にはかからないことが多いですが，数か月後にはこの抗体はなくなってしまうため，感染症にかかりやすくなります。特に，子どもは，ウイルス感染などの感染症にかかりやすく，発熱，咳，鼻水，嘔吐，下痢などの症状が出て体調をくずすことが多くなります。

B　体調不良時の症状別対応

　子どもの場合，基礎疾患がなければ，全身状態を最初に評価することが大切です。一般に「食欲，睡眠，活動性」（食べる，寝る，遊ぶ）に支障がなければ大きな問題はないことが多いでしょう。ウイルス感染症の場合は，安静と対症療法が基本になります。

1）発熱

　子どもは，元気にしていても，突然発熱することがしばしばあります。何かいつもと様子が違うときには，検温してみることが必要です。

　急に高熱になったときは，手足が冷たくなって身体をふるわせる悪寒を認めることがあります。そのときは，一時的に温めてあげる必要がありますが，悪寒がおさまったら，部屋を涼しくし，薄着にさせ，水分をこまめにとらせることが大切です。冷やす際は，首のまわり，わきの下，もものつけ根などを冷やすのが効果的です。発熱時には，嘔吐，下痢，咳，鼻水，発疹など，ほかの症状がないか注意し，病院にかかるときには，このことも伝えます。

　6歳までの幼児では，発熱時にひきつける**熱性けいれん**を起こすことがあります。意識がなくなり，目が上転して手足が固くガタガタふるえることが多くなります。たいていは5分以内におさまり，後遺症の心配がないものがほとんどです。舌をかみきることはまずありませんので，口の中に何かを突っ込んだりすると，嘔吐を誘発して，気道をつまらせる危険がありますのでやってはいけません。洋服をゆるめて，身体と頭を横にして楽な姿勢にして，けいれんが何分続くか測ります（**図1**）。5分以上けいれんが続くとき，何回もけいれんを繰り返すとき，けいれん後に意識が戻らないとき，けいれん後に手足の麻痺が

図1 ●けいれんの応急処置の仕方
衣服のボタンを外して横向きの楽な姿勢をとらせる

第6章 よくかかる病気について知ろう

あるようなときには病院に連れて行きます。けいれんが10分以上続くときは，救急車を呼んでもかまいません。

2）嘔吐（図2）

乳児では，母乳やミルクが逆流する溢乳（いつにゅう）がしばしば認められます。哺乳時に空気を飲み込んで逆流しやすくなるので，哺乳後は排気を十分行います。子どもは，発熱時や感染症のときにしばしば嘔吐，下痢を認めますが，同じ症状が何人かに同時期に突然発症したときには，食中毒の可能性もありますので，直前の食事を保存しておきます。

感染症による場合，ほとんどがウイルス性によるものですが，嘔吐物や便を触って，経口感染することが多いので，よく手洗いをすることが大切です。嘔吐してすぐに食事をしてしまうと，症状が悪化することがありますので，しばらく落ち着くまで，経口摂取をさせないことが大切です。

頻回に嘔吐したり，発熱や下痢を伴うときには，脱水症になる心配が出てきますので，嘔吐の回数，飲水量，尿量を記録します。脱水症になると，目が落ちくぼんだり，皮膚のはりがなくなり，唇が乾いたりします。最も重要な症状として，尿の回数や量が減少します。

3）下痢

感染症による場合，ほとんどがウイルス性ですが，便の回数，色，性状を記録します。血性の便や，白色便のときには，医療機関での診断のために便を保存します。

発症してすぐに食事をすると，症状が悪化することがありますので，しばらく落ち着くまで，食事の内容に注意します（**表1**）。

オムツをしている子どもの場合，下痢の回数が多いと，オムツかぶれになることがしばしばありますので，排便のたびに，臀部（おしり）をよく洗って，皮膚を乾かしてからオムツをつけるようにします（**図3**）。

4）便秘

新生児では，哺乳量が少ないために便秘になることがあるので，体重増加があるかどうかを確認します。年長児では，食生活や排便習慣の影響もあるので，食事の内容や，毎

図2 ●吐きそうなときは洗面器を使う
洗面器にビニール袋などを敷いておく

表1 ●下痢のとき，食べてよいもの，悪いもの

よいもの	豆腐，おかゆ，煮込みうどん，りんごのすりおろしなどの消化のよいもの
悪いもの	牛乳・乳製品，ハム・ソーセージなどの加工品，オレンジジュース，きのこ類，揚げ物など

朝，排便しているか注意します。排便の時間が不規則だと，便秘になっていることに気がつかないこともあるので，なるべく朝に時間をゆっくりとって，排便をさせるように習慣づけるようにします。便がたまると，便秘症による腹痛を起こすことがあり，そのときは，腹部を"の"の字にマッサージしたり，ワセリンやオリーブ油などをつけた綿棒で肛門のところを刺激する綿棒浣腸などで排便させます（図4）。

図3 ● 下痢のときのおしりのケア
排便のたびにシャワーで洗ってから，タオルをあてて水分をとったあと，自然乾燥させる

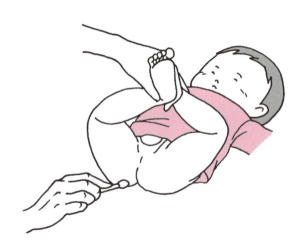

図4 ● 乳児の便秘のときの綿棒浣腸
ワセリンやオリーブ油などを綿棒につけて刺激する
両足は一緒にもち上げないであぐらをかくように固定する

5) 咳

　子どもはウイルス感染による<u>上気道炎</u>を認めることがしばしばありますが，痰がうまく出せず，続けて咳き込んで，嘔吐することがあります。咳がひどいときは，室内をなるべく加湿し，水分をとらせて，寝ているときは身体を起こして背中を軽く叩いて痰を出しやすくし，寝かせ方にも注意します（図5，図6）。

　呼気時にぜいぜいする喘鳴を認めるときは，気管支喘息や気管支炎のことがあります。飲食中に突然ぜいぜいするようになったときは，誤嚥のことがあります。ときに，ピーナッツなど小さいものを誤嚥した場合，誤嚥したことに気がつかず，誤嚥性肺炎になって気がつかれることもあります。

6) 鼻水，鼻づまり

　乳児は，鼻呼吸であるので，鼻に分泌物がたまると呼吸が苦しそうになります。室内を十分加湿し，水分を多めにとらせて鼻水を出しやすくしてあげます。鼻水が多いときには，鼻吸い器などを用いて鼻水を取ってあげます（図7）が，あまりやりすぎると，粘膜を傷つけて鼻血になることがあるので気をつけます。ティッシュで拭き取るときには，鼻

図5 ●咳き込んだとき
身体を起こして背中を軽く叩く

図6 ●咳き込んだときの寝かせ方
首が曲がると気道が圧迫されるので，首と背中がまっすぐになるような寝かせ方にする

図7 ●鼻吸い器（ピジョン（株）製品）

の下が赤くただれることがあるので，ワセリンを塗って予防します．鼻づまりがひどいときには鼻頭を蒸しタオルで暖めたり，お湯の蒸気をかがせると少し楽になります．

7）発疹

子どもの感染症では，しばしば発疹を伴うことがあり，発疹と発熱の経過で診断できる疾患も多いです（**図8**）．症状を認めたときには検温し，全身をチェックして，発疹が出ている場所と性状を記録します．かゆみがあるかどうかも原因を決めるための大切な情報です（**表2**）．

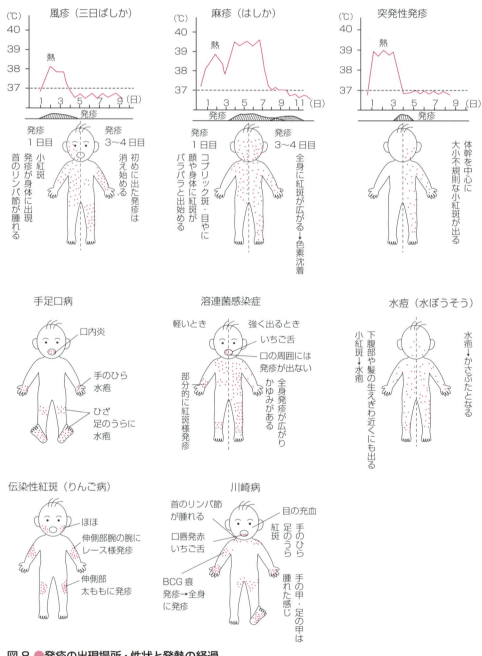

図8 ●発疹の出現場所・性状と発熱の経過

第6章 **よくかかる病気について知ろう**

表2 ●主な発疹の性状

紅斑(こうはん)	盛り上がりがない発疹で、赤くなっているもの。感染症以外にも湿疹やじんま疹などアレルギー性のものもある。顔や手足にみられる伝染性紅斑など、ウイルス感染のことが多く、血液が血管外に出てきたときにみられる紫斑(しはん)と異なって、皮膚を圧迫すると赤味が薄くなることがある。
丘疹(きゅうしん)	盛り上がりのある発疹で、湿疹や虫刺症で認められる。液体がたまっているときには、水疱や膿疱になる。
水疱(すいほう)	表皮内、表皮下に液体がたまっている発疹で、水痘や単純ヘルペス感染症では、全身にみられる。手足口病では、手、足に限局性に水疱が認められる。
膿疱(のうほう)	表皮下にたまっている液体が膿状になっているもの。伝染性膿痂疹などで認められる。

C よくかかる感染症

1 起因病原体別感染症

1) 麻疹(はしか)

麻疹ウイルスにより起こり、鼻汁や咳による**飛沫感染**や**空気感染**、接触感染で感染し、伝染力は極めて強いです。接触してから発症するまでの潜伏期間は10日～2週間で、発熱、咳、目やになどのカタル症状(局部症状)から始まり、頬粘膜に白い斑点であるコプリック斑が出て、再発熱してから全身に発疹が広がります。3～4日後、発疹は色素沈着を残して回復します。肺炎になると重症化することがあり、1歳を過ぎたら、予防接種が勧められます。予防接種をしておらず、発症者と接触して48時間以内であれば、緊急予防接種を行うこともあります。

2) 風疹(三日ばしか)

風疹ウイルスにより起こり、潜伏期間は2～3週間で、発熱と発疹が同時に出現し、**頸部リンパ節腫脹**を伴います。麻疹より症状は軽く、2～3日で改善し、発疹は色素沈着を残しません。妊娠初期に罹患すると、胎児が心疾患や白内障、聴力障害を合併する**先天性風疹症候群**になる可能性があるので、未罹患の女子には予防接種が勧められます。2006年4月より麻疹と一緒になった**MRワクチン**は、1歳と小学校入学前の2回、接種するようになりました。

3) 突発性発疹

乳児に好発し、生まれて初めて発熱したときに、この疾患であることがしばしばあります。ヒトヘルペスウイルス6型、7型が原因です。突然、38℃以上の高熱が3日ほど続いて解熱と同時に体幹(胴体)を中心に発疹が出るのが特徴です。発熱時は意外と食欲が減らないのに、発疹が出てから下痢になったり、食欲が減ることがあります。

4) 水痘(水ぼうそう)・帯状疱疹(ヘルペス)

水痘−帯状疱疹ウイルスによって起こり、潜伏期間は2～3週間で、発熱と同時に発疹が出現し、水疱となります。水疱は次第に乾燥して痂皮化しますが、同時期にいろいろな段階の発疹が認められるのが特徴です。水痘が治癒した後、ウイルスが神経節に入り込み、抵抗力が落ちたときに神経に沿って痛みを伴った発疹が出てくることを帯状疱疹とい

います。

5）単純ヘルペス感染症

　口腔に感染すると口唇ヘルペス，歯肉口内炎になり，食べるときに痛がります。子どもでは発熱して全身感染になることもあり，アトピーのある子どもでは水疱が全身に広がりやすく，カポジ水痘様発疹といわれます。

6）手足口病

　A群コクサッキーウイルス，エンテロウイルスによる手，足，口腔に水疱性発疹を認めます。発熱は軽度ですが，口腔内の発疹が痛みを伴うときには，食事の内容や摂食方法に配慮する必要があります。

7）伝染性紅斑（りんご病）

　ヒトパルボウイルスが原因で，ほぼ，四肢伸側部にレース様紅斑が出現します。発熱は微熱程度のことが多いでしょう。

8）流行性耳下腺炎（おたふくかぜ）

　潜伏期間は2～3週間で，有痛性の耳下腺，顎下腺の腫脹を認めます。子どもでは微熱のことが多いですが，頭痛が強く，嘔吐があるときは，髄膜炎の可能性があります。成人では精巣炎（睾丸炎）の合併が問題となります。

9）インフルエンザ

　冬に流行し，突然の高熱，関節痛，頭痛で発症します。合併症として，肺炎のほかに，子どもでは急性脳症が問題となります。毎年流行する型が変化するため，予防接種用のワクチンは，毎年，流行する型を予測して作られています。新型インフルエンザは，人が免疫を持っていないため，季節に関係なく流行します。

10）咽頭結膜熱（プール熱）

　アデノウイルスが原因で，夏に流行します。発熱，咽頭痛，眼瞼結膜の充血を認めます。プールが始まる頃から流行するので，プール熱ともいいますが，眼脂（目やに），唾液だけでなく，便からもウイルスが排泄されます。

11）ヘルパンギーナ

　A群コクサッキーウイルスが原因で，夏に流行します。高熱と咽頭痛があり，口蓋垂（口の奥に垂れさがっている部分で，のどちんこともいう）に水疱ができます。

12）乳幼児嘔吐下痢症（急性胃腸炎）

　おもに冬季に流行し，嘔吐や発熱を伴うことが多く，腹痛を訴えることもあり，食欲不振となります。便の色が白色となるときはロタウイルスが原因で，白色便にならない嘔吐下痢症では，アデノウイルスやノロウイルスが原因のことが多いです。乳児では発熱，嘔吐，下痢が激しく，脱水症になりやすいので食事療法や水分補給の仕方に注意が必要です。

13）EBウイルス感染症（伝染性単核症）

　ほかのウイルス性の感染と変わらない症状のことが多く，感染したことに気がつかないことが多いですが，ときに高熱が続き，リンパ節腫脹，肝脾腫，不定形の発疹，肝機能障害を認めることがあります。

14）ブドウ球菌感染症

　子どもでは，皮膚に感染して広がる**伝染性膿痂疹**（とびひ）がしばしばみられます。アトピー性皮膚炎や湿疹があるときに，皮膚を掻いて，広がったりします。皮膚の炎症をおさえて，抗菌薬を服用します。全身に広がるとSSSS（ブドウ球菌性熱傷様皮膚症候群，*Staphylococcus* scalded skin syndrome）となることもあります。院内感染で注目されている**MRSA**（メチシリン耐性黄色ブドウ球菌，methicillin-resistant *Staphylococcus aureus*）は，通常の抗菌薬に耐性となったブドウ球菌で，免疫低下の疾患があるときに感染すると治療が難しくなることがあります。

15）溶連菌感染症

　A群溶連菌は，幼児から学童によくみられ，発熱，発疹，咽頭扁桃炎のほかにいちご（状）舌が特徴的です。全身感染となったものは，**猩紅熱**といいますが，子どもでは咽頭痛以外の症状がはっきりしないことがあります。感染後，腎炎やリウマチ熱になることがありますので，感染がわかったときには，通常より長く抗菌薬を飲みます。のどの分泌物を綿棒でとる迅速検査で診断ができますが，症状がよくなってから尿検査をしたりします。

16）百日咳

　連続した咳と吸気時に笛声となるレプリーゼという症状があります。ジフテリア，破傷風ポリオと混合の四種混合（DPT-IPV）ワクチンで予防できますが，予防接種をしていない乳児では肺炎になることもあります。

17）マイコプラズマ感染症

　発熱，咳が続き，しばしば肺炎や中耳炎になります。胸膜炎になって，胸部の痛みを感じるときもあります。

18）蟯虫症

　成虫は，ヒトの腸管に寄生し，夜間肛門に産卵します。かゆみがあり，夜間の不眠の原因となります。発見されたときには駆虫剤を家族全員で飲みます。

19）伝染性軟属腫（水いぼ）

　子どもの皮膚に感染する水疱疹です。かきこわして，水疱の中の伝染性軟属腫ウイルスが手につくと広がっていきますが，数か月後には自然に治癒します。早期に完全に治癒させるためには，一つひとつの水疱を芯からつまんでとることですが，水疱以外の症状はな

Column　川崎病（MCLS : mucocutaneous lymph-node syndrome）

　現在のところ原因不明ですが，発熱，発疹が出て乳幼児が発症する疾患です。典型的な症状は5日以上の発熱，発疹，頸部リンパ節腫脹，眼球結膜の充血，口唇発赤またはいちご舌，手足の硬性浮腫を認めます。自然経過で症状が改善しますが，後遺症として冠動脈瘤ができることがあり，心筋梗塞を起こすことがあります。そこで，診断がついたら，免疫グロブリンの大量投与で冠動脈瘤の形成を予防します。

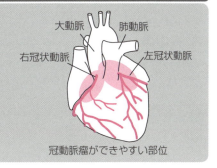

いので，自然治癒までそのままにしても大きな問題はありません。

20）頭じらみ

集団で同じシーツで寝たり，同じタオルを使うと感染することがあります。卵だけのときは，フケと区別が難しいことがありますが，成虫になると，かゆみが出てくることがあります。人体用殺虫剤フェノトリン 0.4 ％ 粉剤（スミスリン®パウダー）で駆虫しますが，家族全員で駆虫を行うことや，髪を短くして，シーツ，タオルの洗濯なども大切です。

2 臓器別感染症

1）急性気管支炎

かぜ症状が長引き，咳がひどくなったときには，上気道感染が進行し，気管支炎になっていることがあります。乳幼児では，気管支喘息のように，ぜいぜいと喘鳴が聞かれることもあります。痰を出しやすくするように，咳き込んだときには，身体を起こして背中を軽く叩いてあげます。咳き込んで，腹部に力が入って嘔吐してしまうようなときには，水分を少しずつとらせるようにします。

2）肺炎

気管支炎が進行すると気管支肺炎となります。膿性の痰が続くときには，一つの肺葉全体に膿がたまる膿胸となり，胸腔穿刺をして膿を排出しなければならないことがあります。マイコプラズマ肺炎では間質性肺炎となり，適切な抗菌薬を使わないと発熱，咳が続きます。

3）喉頭炎

クループ，または仮性クループともいいますが，吸気性喘鳴，犬吠様咳嗽，嗄声を症状とします。気管支の入り口である喉頭に炎症があるので，吸い込むのが苦しくなったときには，気管支拡張薬やステロイドの吸入をします。

4）細気管支炎

乳児に好発し，呼気性喘鳴，多呼吸が起こります。RS ウイルスが原因のことが多く，重症化することがあります。

5）胃腸炎

嘔吐，下痢といった消化管症状を示すもので，乳幼児ではウイルス性感染症によるものが最も多く，唾液，糞便などからの経口感染で広がるので，こまめな手洗いが大切です。冬季に流行するロタウイルス感染では，白色下痢便がみられます。乳幼児の胃腸炎では，脱水症にならないように注意しながら食事指導を行います。

6）食中毒

同時期に，集団で嘔吐，腹痛といった症状が出たときには，食中毒の可能性があります。食中毒では，細菌によるものは夏季に多く，卵，肉につくサルモネラ，魚介類につく腸炎ビブリオ，O157（腸管出血性大腸菌）などの病原性大腸菌，鶏肉につくカンピロバクターなどの感染型とブドウ球菌，ボツリヌス菌などの毒素型があります。ボツリヌス菌は，はちみつに混入して感染することがあり，1歳以下の子どもに感染するので，乳児に

ははちみつを与えないようにします。ウイルスによる食中毒では，ノロウイルスによるものは冬季に発生します。

7）尿路感染症

尿路感染症とは，尿道，膀胱，腎盂までの感染症です（図9）。膀胱炎では，頻尿や排尿痛がありますが，幼少時では症状がはっきりせず，発熱が出て，**腎盂腎炎**（細菌感染による腎盂・腎杯の炎症）になってから気づかれることも多いです。腎盂腎炎を繰り返すときには，**膀胱尿管逆流**（膀胱にたまった尿が尿管や腎盂内に逆流すること）のこともあり，逆流の程度が強いときには，手術をします。

8）髄膜炎

脳と脊髄をおおう膜である髄膜に感染が起こると髄膜炎となり，細菌性髄膜炎では，重症化しやすく，後遺症として水頭症になったり脳障害が残ることがあります。症状は，発熱，頭痛，嘔吐を認め，進行するとけいれん，意識障害になります。寝ている状態で首を持ち上げるように曲げようとすると，首が痛みで曲げられない**項部硬直**（図10）や，乳児では大泉門が膨隆したりします。

細菌性髄膜炎の起因菌は，子どもでは，大腸菌やHib（インフルエンザ菌b型），肺炎球菌，黄色ブドウ球菌が多く，適切な抗菌薬をできるだけ早く投与することが後遺症を残さないようにするためにも大切です。Hibは予防接種によって予防することが可能となりました。また，肺炎球菌についても，2歳未満にも接種可能な7価結合型ワクチンができて，予防することが可能になりました。

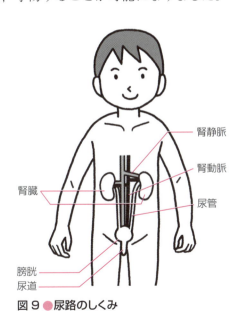

図9 ●尿路のしくみ

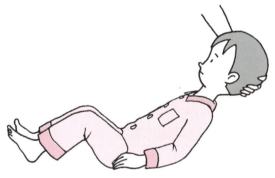

図10 ●項部硬直

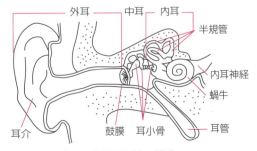

図11 ●**子どもの中耳と耳管の構造**
耳管が大人と比べ水平で太く短いため感染しやすい

9）中耳炎

　中耳と咽頭は耳管によってつながっていますが，子どもは成人と比べて耳管が水平で短いため（図11），咽頭からの感染が起こり，中耳炎になりやすいのです。耳痛と発熱で気がつかれますが，幼児では耳痛がはっきりせずに，反復することがしばしばあります。中耳に滲出液がたまる**滲出性中耳炎**では，**難聴**の原因になることがあります。

10）結膜炎

　感染性結膜炎では，アデノウイルスなどのウイルス感染によるものが多いです。眼脂（目やに）から感染するので，タオルを別にする，手洗いをきちんとするなどが大切です。

3 季節別の流行疾患

　子どもの疾患は，季節別の流行があります。新しい集団生活を始めたときには，主にウイルス感染が原因の**かぜ症候群**を繰り返したりすることがあります。溶連菌感染症は，春先から増加します。最近は，花粉症が低年齢化している傾向があります。初夏は，伝染性膿痂疹，手足口病，盛夏は，ヘルパンギーナ，咽頭結膜熱が流行します。食中毒が発生したり，熱中症にも注意が必要です。秋は，台風や運動会の練習で，喘息発作が頻発することがありますが，小児科では最も患者が少ない時期です。冬場になると感染症が増加し，肺炎や髄膜炎などの合併症を起こすこともあります。1年の中で最も小児科外来が混雑する時期です。胃腸炎が増加し，感冒，インフルエンザも流行します。ロタウイルスによる白色便下痢症は，冬季乳児嘔吐下痢症といわれたりするように冬場に流行しますが，ノロウイルスやアデノウイルスによる急性胃腸炎もあります。乳児ではRSウイルスによる細気管支炎が発症したり，年長児ではマイコプラズマ肺炎になったりします。喘息発作は減少しますが，アトピー性皮膚炎は悪化しやすいです（図12）。

D　感染症の予防

1）出席停止期間の基準

　学校保健安全法の規則に，学校において予防すべき疾患が，第1種から第3種に分けられています。小児期に多い飛沫感染は第2種にあげられ，**インフルエンザ**，**百日咳**，**麻疹**，**風疹**，**水痘**，**流行性耳下腺炎**，**咽頭結膜熱**，**結核**，**髄膜炎菌性髄膜炎**があり，出席停

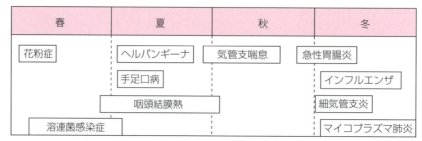

図12 ●小児の疾患の流行

止期間の基準があります。保育所や幼稚園でもこの規則を準用します。学校や幼稚園，保育所では医療機関で感染のおそれがないことを証明する「**登園(校)許可書**」(**図13**)や「治癒証明書」がないと登園(校)できないことが多いです。

　具体的な基準は以下のとおりです。出席停止の日数の数え方は，その現象がみられた日は数えず，その翌日を第1日とします(**図14**)。

- ●インフルエンザ：発症した後5日を経過し，かつ，解熱後2日(幼児は3日)を経過するまで
- ●百日咳：特有の咳が消失するまで，または5日間の適正な抗菌薬治療が終了するまで
- ●麻疹：解熱後3日を経過するまで
- ●風疹：発疹が消失するまで
- ●水痘：すべての発疹が痂皮化するまで
- ●流行性耳下腺炎：耳下腺，顎下腺または舌下腺の腫脹が発現した後5日を経過し，かつ，全身状態が良好になるまで
- ●咽頭結膜熱：主要症状消退後2日経過するまで
- ●結核：感染のおそれがなくなるまで
- ●髄膜炎菌性髄膜炎：感染のおそれがなくなるまで

登園（校）許可証明書

氏名 _____

病名　：

上の者平成　　　年　　　月　　　日から上記の疾病にて療養中のところ

軽快したので平成　　　年　　　月　　　日から登園（校）してよいこと

を証明する。

平成　　　年　　月　　日

東京都〇〇市〇〇町3丁目1-1

〇〇〇〇〇〇病院

医師　　　　　　　印

図13 ●登園(校)許可書

図14 ● 出席停止の日数の数え方

2）予防接種

　予防接種とは，弱毒化したウイルスや細菌を接種する生ワクチンや，ウイルスや細菌を殺したものを接種する不活化ワクチンなどで，病気に対する免疫をつけさせるようにすることです。

　新予防接種法では，予防接種の意義を理解して積極的に受けるよう努力を義務づけ，自治体から費用の援助がある定期接種（勧奨接種）と，接種するときは有料となる個人の任意の意思で受ける任意接種に分けられます。定期接種としては，BCG（結核），ポリオ，百日咳，ジフテリア，破傷風，麻疹，風疹，日本脳炎，Hib（インフルエンザ菌b型），HPV（ヒトパピローマウイルス），肺炎球菌，水痘，B型肝炎があり，任意接種にはインフルエンザ，おたふくかぜ（流行性耳下腺炎・ムンプス），ロタウイルス，A型肝炎などがあります。予防接種は，以前は集団を対象に行っていた集団接種でしたが，現在はほとんどが個人の状態にあわせて行う個別接種になっています。生ワクチンはBCG，MR（麻疹・風疹），おたふくかぜ，水痘，ロタウイルスで，それ以外は不活化ワクチンです。ポリオは2012年11月より不活化ワクチンとなり，三種混合DPT（ジフテリア・百日咳・破傷風）ワクチンと一緒になって四種混合ワクチン（DPT-IPV）となっています（図15）。予防接種を行える間隔は，生ワクチン接種後は27日以上，不活化ワクチン接種後は6日以上です。接種の仕方は，BCGは管針法，HPVは筋肉注射，ロタウイルスは経口法で，それ以外は皮下注射となっています。MR，おたふくかぜ，水痘は1歳以上で接種します。以前は1回接種でしたが，MR，水痘は定期接種で2回接種となり，おたふくかぜも2回接種が推奨されています。接種しなければならない予防接種が増えたので，同じ診察で別々の箇所に接種する同時接種も行われるようになりました。それぞれ，実際にかかったときには抗体ができているので，予防接種の必要はなくなりますが，かかったかどうかわからないときには，血液検査で抗体価を測定することもできます。予防接種歴は母子健

第6章 | よくかかる病気について知ろう

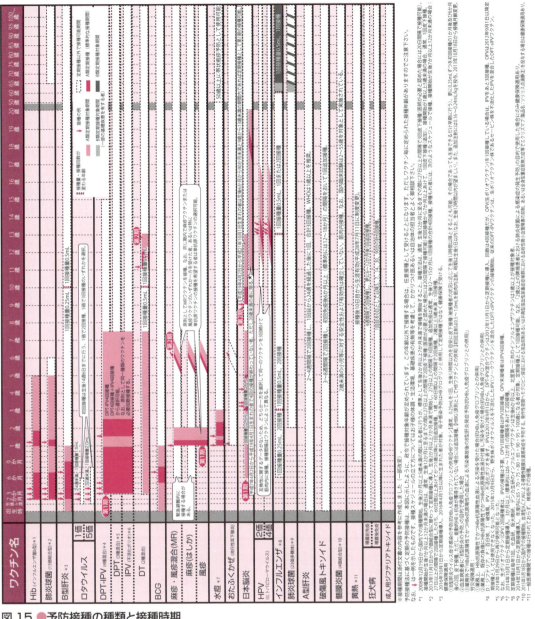

図15 ●予防接種の種類と接種時期
(国立感染症研究所：定期／任意予防接種スケジュール［2018年4月1日～］（https://www.niid.go.jp/niid/images/vaccine/schedule/2018/JP20180401_02.pdf［閲覧日：2019.1.11］））
＊最新情報は国立感染症研究所感染症疫学センターウェブサイトの予防接種スケジュールをご参照ください。

手帳に記載されていますので，あらかじめ確認しておくことも大切です。

E 薬の投与の仕方

1）シロップ

哺乳瓶の乳首で飲めるときには，薬を乳首（薬専用のもの）に入れて飲ませます（**図16**）。母乳で，乳首をいやがるときには，スポイトで飲ませます（**図17**）。年長児で飲むのをいやがるようなときは，粉薬にして，好きな味つけにするほうがよい場合もあります。

2）粉薬

白湯でペースト状にして飲ませるか，ほほの内側に塗りつけます。飲みづらい味のときは，練乳や1歳以上ならはちみつ，みそ汁，アイスクリームに混ぜるとたいてい飲めます。市販の薬用のゼリーに混ぜる方法もあります。ミルクを飲まなくなると困るので，シロップも粉薬もミルクに混ぜてはいけません。また，混ぜるものの分量は少なめにすること，大人が味つけを確認してみること，なるべく食後より食前にすること，薬だというこ

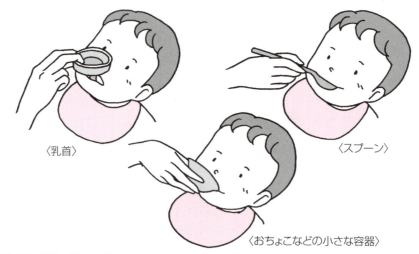

図16 ●薬の飲ませ方

図17 ●スポイトで飲ませる

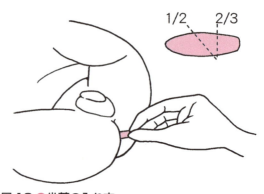

図18 ●坐薬の入れ方
坐薬の量は1/2などの指示があるときはカットする。カットした先端はやや丸みをもたせる。

とをできるだけわからないようにして、押さえつけて飲ませることはなるべくしないことがコツです。

3）坐薬

解熱薬、鎮吐薬、けいれん予防薬などがあります。飲み薬より、即効性があって、吐き気があるときに適していますが、年長児で入れるのを嫌がると投与が難しくなります。坐薬に少量の水やベビーオイルをつけて、入れやすくし、乳児は足をしっかり曲げた姿勢にし、年長児ではおなかに力を入れないようにしてすばやく入れるようにします（**図18**）。

4）貼り薬

気管支拡張薬や鎮痛薬などがあります。気管支拡張薬は、薬が飲みづらい夜間などに手軽に使えますが、皮膚がかぶれることがあるので、1日たったらはがして、場所を替えて貼りかえます。

5）塗り薬

湿疹や皮膚感染症のときに用います。症状に合わせて使うので、小児科医や薬剤師からよく指導を受けます。口のまわりや、目のまわりに塗るときは、口や目に入っても大丈夫か確かめてから使います。使う分をいったん手の甲に出すのもよいでしょう。ローションタイプ、軟膏、クリームなどさまざまなものがありますが、いずれも皮膚を清潔にしてから塗るのが基本です。

6）点眼薬

泣いているときは避けて、機嫌がよいときにさしましょう。子どもを仰向けに寝かせ、大人が両足で動かないように子どもの身体を固定してさす方法もあります（**図19**）。

F　病院受診時の対応

1）病院にかかるとき

発熱したり、体調が悪くなったりしたときには、なるべく診療時間内にかかりつけ医を受診します。そのときは、体温や体調の変化について、時間を追ってメモしたものを持参します。嘔吐や下痢があるときには、嘔吐や下痢に加え、尿の回数のメモも必要です。持

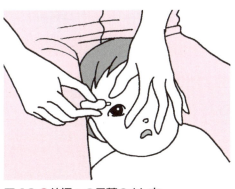

図19● 幼児への目薬のさし方

ち物としては，健康保険証，乳児医療証のほかに，母子健康手帳や多めのおむつや着替え，悪心時の袋，イオン飲料，絵本などもあると便利です。他院で処方された薬があるときには，お薬手帳か処方された薬も持参します。

Column ●予防接種の変遷

　わが国における制度として始まったのは，1885 年の種痘の予防接種からです。1948 年に予防接種法によって，種痘のほかに，ジフテリア，腸チフス，パラチフス，発疹チフス，コレラに対する予防接種が開始され，1951 年の結核予防法によって BCG，1954 年より日本脳炎，1958 年よりジフテリアに百日咳が加わった DP 混合ワクチン，1960 年よりポリオワクチン，1964 年より DP 混合ワクチンに破傷風が加わった DPT ワクチン，1962 年よりインフルエンザワクチンが開始されています。1960 年代になって，予防接種の副反応が社会問題となり，1976 年に予防接種健康被害救済制度ができ，腸チフス，パラチフス，種痘は中止となり，予防接種の方法も次第に集団接種ではなく，個別接種になってきています。1977 年に風疹，1978 年に麻疹が定期接種となり，おたふくかぜ，水痘も任意ですが，接種が可能になってきています。1986 年より，B 型肝炎の母子感染防止事業が開始され，1994 年に予防接種法が改正され，義務接種が努力接種（勧奨接種）に変わり，予防接種の情報を提供することで，予防接種の推進をはかるようになってきています。
　結核の減少により，2003 年，小中学校の BCG は廃止され，結核感染の有無を判定するツベルクリン反応も行われなくなってきています。また，麻疹，風疹の減少のため，2006 年より，MR 混合ワクチンを 2 回することになっています。2008 年 12 月からは，Hib（インフルエンザ菌 b 型）ワクチンが乳幼児の髄膜炎予防として接種可能となりました。2009 年 8 月には，肺炎球菌による髄膜炎を予防するために，乳幼児に接種可能な小児用肺炎球菌ワクチンも接種されるようになりました。ポリオワクチンは，わが国では長く経口生ワクチンでしたが，2012 年 11 月から不活化ワクチンとなり，DPT 三種混合ワクチンと一緒になって，四種混合（DPT-IPV）ワクチンも接種可能となりました。ロタウイルスワクチンは，生後 2 か月から 6 か月までに経口ワクチンとして実施可能となりました。また，子宮頸癌予防のため HPV（ヒトパピローマウイルス）ワクチンは中学生以上の女子に 3 回接種を行っていましたが，接種後に広範囲の疼痛などの副反応があり，積極的な接種勧奨は差し控えています。定期接種できるワクチンも増加し，2014 年 10 月からは水痘ワクチン，2016 年からは母子感染予防以外に B 型肝炎ワクチンが接種できるようになりました。
　このように，感染症の克服のために果たした予防接種の役割は非常に大きく，疾患がなくなってくれば，予防接種も必要なくなってきます。

Column ●解熱薬の使用

　かつては，発熱の高さでしばしば使用されていましたが，子どもの場合，無理に熱を下げると，感染に対する免疫反応をおさえてしまうことや，解熱したことにより安静を保てなくなる，また熱性けいれん既往児では，解熱薬の効果が切れて再発熱のときに，けいれんを誘発しやすいということにより，極力使用しない傾向になっています。また，インフルエンザ脳症では，メフェナム酸などの解熱薬の使用により，発症のリスクが高くなるということがわかり，子どもで解熱薬を使用するのは，高熱で，体力の消耗がひどく，水分摂取が低下したときや，基礎に心疾患などを持っているような場合に限られる傾向となっています。

Column ●蚊を媒介とする感染

　日本脳炎は，予防接種により予防できますが，海外渡航者から感染したデング熱やジカ熱は予防接種がありません。いずれも蚊を媒介とするので，蚊が生息する場所で活動する時は，長袖，長ズボンとし，虫除けスプレーで蚊に刺されないようにする対策が必要です。

Column ●ペット感染

　ペットを飼育するときに，動物特有の感染症がうつることがあります。犬から感染する狂犬病は，犬への予防接種によって，わが国ではみられなくなりましたが，海外では，感染して亡くなることもあります。また，インコに口移しでえさをあげて「オウム病」になることがあります。これは，高熱が出て，肺炎になったりします。同様にミドリガメの口と接触して，サルモネラ菌が感染することもあります。いずれも，直接口にふれないようにすれば防げますので，接触したときには，手洗いをきちんとするようにしましょう。また，猫にひっかかれて，10 日後くらいに発症する猫ひっかき病では，発熱やリンパ節が腫れることがあります。猫に感染しているバルトネラ菌が原因です。妊婦に感染すると胎児に水頭症や脈絡網膜炎を起こすことがあるトキソプラズマ症も猫の糞から感染することがあります。いずれもまれな病気ではありますが，ペットを飼育しているときには，注意が必要です。

2）救急病院を紹介してもらうとき

普段から，夜間や休日診療を行っている地域の病院を調べておきます。東京都では，インターネットによる医療機関案内サービスもあります（http://www.himawari.metro.tokyo.jp/qq/qq13tomnlt.asp）。

3）救急車を呼ぶかどうか判断に迷うとき

子どもは，状態が急に変化することがあります。様子をみてよいか，すぐに救急車を呼んだほうがよいか迷ったときには，小児救急医療相談事業につながる#8000や，成人の対応も行う#7119に連絡します。

4）誤飲，誤嚥への対応を知りたいとき

日本中毒情報センター（http://www.j-poison-ic.or.jp/homepage.nsf）で情報を得ることができます。一般市民向け受診相談の電話番号は072-727-2499（大阪中毒110番），029-852-9999（つくば中毒110番）です。医療機関を受診するときには，誤飲したと思われる物を持参します。

話し合ってみよう

- 今まで，自分がかかったことのある感染症や予防接種をしているかを確認し，もし感染したときには，どうしたらよいか考えてみましょう。
- 体調の悪い子どもに飲ませたり，食べさせたりするものはどんなものがよいか考えてみましょう。

課題 1 熱型，発疹から，病名を考えてみよう

子どもの保健の基本的知識や現場で出会うさまざまな保育課題を質問形式にしています。講義ページとあわせて学習しましょう。

1) 突発性発疹
2) 麻疹
3) 風疹
4) 水痘
5) 手足口病
6) 伝染性紅斑
7) 溶連菌感染症
8) 川崎病

課題 2 症状による看護の方法を考えよう

1) 熱があるとき
2) 咳がひどいとき
3) 吐いたとき
4) 下痢があるとき
5) 便秘があるとき
6) おなかを痛がるとき
7) 身体をかゆがるとき
8) ひきつけたとき

課題 3 子どもに上手に薬を投与する方法を実践してみよう

1) シロップ
   スポイトを使ったり，何かに混ぜてみる。
2) 粉薬
   ジュース，ヨーグルト，牛乳，はちみつ，練乳，みそ汁などに混ぜて，味がどうか。
3) 坐薬
4) 貼り薬
5) 塗り薬
6) 点眼薬
   いやがって，目をつむったときにどうしたらよいか。

課題4　学校保健安全法による登園（校）停止を確認しよう

1) 麻疹
2) インフルエンザ
3) 風疹
4) 水痘
5) 流行性耳下腺炎
6) 百日咳
7) 咽頭結膜熱

課題5　予防接種のスケジュールを考えてみよう

1) 1歳前にすませておきたい予防接種
2) 1歳になったらすませておきたい予防接種

課題6　感染症の予防ではどんなことが大切か考えてみよう

1) 感染症の子どもと接触するとき気をつけること
2) 感染症の子どもへの対応
3) 感染していない子どもへの対応

課題7　感染予防の方法を実習してみよう

子どもが覚えやすい手洗いの方法

おねがい のポーズ	かめ のポーズ	お山 のポーズ	おおかみ のポーズ	バイク のポーズ	つかまえたー のポーズ
てのひらをあわせてスリスリ。まずは，いちばんひろいところからしっかりとね。	おやこガメのようにりょうてをかさねてゴシゴシ。わすれがちなてのこうを，きちんとね。	ゆびをくんで，さんかくのおやまをつくってゴシゴシ。あらいにくいゆびのあいだも，きちんとね。	おおかみのように，つめをたててゴシゴシ。なかにかくれたばいきんを，おいだそうね。	ばいくのうんてんみたいに，おやゆびをつけねからグリグリ。おくちにはいりやすいゆびだからね。	てくびをにぎってグリグリ。つくえにあたるてくびは，いがいによごれているね。

● きちんと あらって ばいきん さようなら

解答は 188〜189 ページ

第6章　おさらいテスト

問1　次の文の（　　　　）に適当な語句を入れなさい。

①子どもは，元気にしていても，突然発熱することがしばしばある。高熱時には，身体をふるわせる（　　　　　）を認めることがあるが，おさまったときには，（　　　　　）にさせ，（　　　　　）を多めにとらせることが大切である。

②子どもは，発熱時や感染症のときにしばしば嘔吐，下痢を認めるが，嘔吐が頻回のときには，（　　　　　）になる心配が出てくるので，嘔吐の回数，飲水量，（　　　　　）を記録する。

③咳で苦しそうなときは，室内をなるべく（　　　　　）し，（　　　　　）をとらせて，寝ているときは起こして（　　　　　）を軽く叩いて痰を出しやすくする。

④子どもの感染症ではしばしば発疹を伴うことがあり，症状を認めたときには（　　　　　）し，全身をチェックして，発疹が出ている（　　　　　）と（　　　　　）を記録する。

⑤予防接種を行える間隔は，弱毒化したウイルスや細菌を接種する（　　　　　）接種後は（　　　日）以上，ウイルスや細菌を殺したものを接種する（　　　　　）接種後は（　　　日）以上あける。

⑥四種混合（DPT-IPV）ワクチンとは，（　　　　　），（　　　　　），（　　　　　），（　　　　　）の予防接種で，MR ワクチンとは，（　　　　　），（　　　　　）の予防接種である。

問2　次の疾患の正式名称を記入しなさい。

①はしか　　　　（　　　　　　）　　②水ぼうそう　（　　　　　　）

③おたふくかぜ　（　　　　　　）　　④三日ばしか　（　　　　　　）

⑤りんご病　　　（　　　　　　）　　⑥プール熱　　（　　　　　　）

問3　次のような症状を呈する疾患を（　　　　）内に記入しなさい。

①（　　　　　）生後6か月以後の乳児に好発し，突然39〜40℃の発熱で発症し，急に解熱すると同時に発疹があらわれる。

②（　　　　　）夏季に手掌，足の裏などに水疱性発疹と口腔内にも発疹がみられ，食事どきに痛がる。

104

第6章 よくかかる病気について知ろう

③（　　　）発熱，咳が2〜3日続き，頬粘膜にコプリック斑が認められてから，全身に発疹が出て，色素沈着を残して治る。

④（　　　）軽い熱とともに発疹があらわれ，最初は赤い紅斑で，やがて丘疹となり，水疱ができる。いろいろな状態の発疹が同時にみられる。

⑤（　　　）顔，耳に発熱と同時に発疹があらわれ，体幹，四肢に広がる。頸部のリンパ節が腫れ，妊娠早期に感染すると胎児に異常があらわれる。

⑥（　　　）両頬に赤い発疹がみられ，手足にレース状の紅斑が出る。

⑦（　　　）夏季に高熱と口蓋垂近くの口内炎を認める。

⑧（　　　）37℃台の微熱があり，のどの痛みを訴える。手足，顔に不定形の発疹が出て，舌がぶつぶつが目立ち苺のようになっている。

⑨（　　　）急に39℃の発熱があり，目がまぶしくなって赤くなりめやにが出て，のどを痛がっている。

⑩（　　　）咳が出だすと止まらなくなり，顔を真っ赤にして息を吸うときに，笛を吹くような音がする。

問4 出席停止期間の基準について，適切なものに〇，適切でないものに×をつけなさい。

①（　　　）麻疹：すべての発疹が消失するまで

②（　　　）百日咳：特有の咳が消失するまで，または5日間の適正な抗菌薬治療が終了するまで

③（　　　）咽頭結膜熱：主要症状消退後2日を経過するまで

④（　　　）水痘：すべての発疹が消失するまで

⑤（　　　）風疹：発疹が消失後2日を経過するまで

⑥（　　　）インフルエンザ：解熱後3日を経過するまで

⑦（　　　）「解熱した後3日を経過するまで」とは，解熱した日を入れて4日間である。

問5 次の記述について，適切なものに〇，適切でないものに×をつけなさい。

①（　　　）MRワクチンを受けた後，四種混合（DPT-IPV）ワクチンの接種を1週間後に行える。

105

②(　　　)インフルエンザのワクチン接種後，1週間たてば，MRワクチンを受けてよい。

③(　　　)BCGワクチン接種とヒブワクチン接種の間隔を2週間とした。

④(　　　)同時接種とは，異なるワクチンを混合して接種することである。

⑤(　　　)四種混合(DPT-IPV)ワクチンの第Ⅰ期1回目の接種から1週後に水痘のワクチンを接種し，さらに4週後に四種混合(DPT-IPV)ワクチンの2回目の接種をした。

問6　次の症状を示す疾患について，疑われる病名と対応の仕方について書きなさい。

①9か月男児：昼頃に39℃の発熱がでて，離乳食を嘔吐し，ミルクのみにして様子を見ていたが，ミルクも嘔吐するようになった。夜からは，白っぽい水様便が始まった。
・疑われる疾患(　　　　　　　　　　　　　　)

・ミルクを嘔吐するようになったときの対応(　　　　　　　　　　　　)

・水様便が出るようになったときの対応(　　　　　　　　　　　　)

・発熱，嘔吐，下痢が続くときに気をつけなければならないこと(　　　　　)

・上記を疑うときの症状(　　　　　　　　　　　　　)

・食事を再開するときに注意すること(　　　　　　　　　　　)

②4歳女児：排尿時に痛みを訴えるようになり，トイレに何回も行くが，1回の尿量は多くなく，尿が出きっていない残尿感があった。尿が濁っているようになった。
・疑われる疾患(　　　　　　　　　　　　　　)

・必要な治療と日常生活指導(　　　　　　　　　　　)

・症状が改善した後の再発予防のために行うこと(　　　　　　　)

③1歳男児：虫刺されをしたところを掻いているうちに，黄色い分泌物が出るようになり，体全体に広がってき出した。
・疑われる疾患(　　　　　　　　　)

・必要な治療(　　　　　　　　　)

・夏場のときに気をつけること(　　　　　　　　　)

第7章

よく起こる事故について知ろう

◆子どもの事故の特徴を理解し，事故防止や安全教育の仕方を知る

◆子ども虐待の実態と対応について理解する

A　子どもの死因統計

　わが国の人口動態調査によると，0歳児では先天異常や周産期の障害による死因が多いですが，1〜4歳では，先天異常の次に不慮の事故が第2位になっており，5〜9歳では悪性新生物の次に不慮の事故が第2位となっています（**表1**）。したがって，不慮の事故を予防することは，子どもの死亡率を減らすためにも重要な課題です。

　不慮の事故の種類の内訳では，0歳では窒息が最も多いですが，1〜4歳，5〜9歳は交通事故が最も多く，10〜14歳では溺死が最も多くなっています（**図1**）。子どもの事故の特徴を知り，事故防止や安全教育を行うことは，不慮の事故を減少させるために大切なことです。

B　子どもの事故の特徴

　子どもの事故やそれに伴う傷害には，子どもの以下の特性が強く関係しています。
　①身長に占める頭の大きさの割合が大きい
　②子どもの運動発達の未熟性
　③子どもの周囲の事物に対する関心の発達の未熟性
　④子どもの危険認知の発達の未熟性
　子どもの場合，一人だけのときよりも子ども同士で遊んでいるときに，事故になることも多く，環境によっても異なるので状況に応じた注意が必要です。

C　年齢別のけがや事故の種類と発生場所

　子どもの事故では，発達の段階により，事故の種類や発生場所が異なってきます。乳児期初期は自らの能力で場所を移動することができないので，屋内の事故が多くなっています。首が坐っていない3か月までの事故は，窒息が最も多く，寝返りや坐ることができるようになると，転倒，転落が多くなります。子どもが動く範囲が広くなると事故が屋外で発生するようになります。傷害は，発達が未熟なうちは，頭部，顔面などの上半身が多く，運動発達に伴って活動範囲が広がると下半身の事故が多くなります。運動発達は段階状に発達していくので，たとえば前の日まで寝返りができないと油断していると，突然寝返りしてベッドから転落するというような事故が発生します。常に子どもの発達を予測した予防対策が必要です。

D　事故防止

　事故防止は，日頃からよく話し合っておくことが大切です。
　室内，屋外に分けて，複数の目で点検し，実際に子どもが行動したときを想定して，

第7章 よく起こる事故について知ろう

表1 ● 死因順位(第3位まで)別にみた年齢階級・死亡数・死亡率(人口10万対)・構成割合

年	年齢階級	第1位 死因	死亡数	死亡率(%)	割合(%)	第2位 死因	死亡数	死亡率(%)	割合(%)	第3位 死因	死亡数	死亡率(%)	割合(%)
2011年	0歳	先天奇形,変形および染色体異常	862	82.0	35.0	周産期に特異的な呼吸障害等	322	30.6	13.1	不慮の事故	199	18.9	8.1
	1～4歳	不慮の事故	380	9.1	32.8	先天奇形,変形および染色体異常	161	3.8	13.9	悪性新生物	79	1.9	6.8
	5～9歳	不慮の事故	353	6.5	47.1	悪性新生物	99	1.8	13.2	その他の新生物	36	0.7	4.8
2012年	0歳	先天奇形,変形および染色体異常	815	78.6	35.5	周産期に特異的な呼吸障害等	314	30.3	13.7	乳幼児突然死症候群	144	13.9	6.3
	1～4歳	先天奇形,変形および染色体異常	180	4.3	20.5	不慮の事故	123	2.9	14.0	悪性新生物	101	2.4	11.5
	5～9歳	不慮の事故	103	1.9	20.7	悪性新生物	84	1.6	16.9	先天奇形,変形および染色体異常	35	0.7	7.0
2013年	0歳	先天奇形,変形および染色体異常	811	78.8	37.1	周産期に特異的な呼吸障害等	308	29.9	14.1	乳幼児突然死症候群	124	12.0	5.7
	1～4歳	先天奇形,変形および染色体異常	142	3.4	18.4	不慮の事故	109	2.6	14.1	悪性新生物	83	2.0	10.7
	5～9歳	悪性新生物 不慮の事故	106	2.0	23.4					その他の新生物	35	0.7	7.7
2014年	0歳	先天奇形,変形および染色体異常	751	74.8	36.1	周産期に特異的な呼吸障害等	261	26.0	12.5	乳幼児突然死症候群	145	14.4	7.0
	1～4歳	先天奇形,変形および染色体異常	146	3.5	18.2	不慮の事故	113	2.7	14.1	悪性新生物	88	2.1	11.0
	5～9歳	悪性新生物	103	2.0	22.4	不慮の事故	102	1.9	22.2	先天奇形,変形および染色体異常	37	0.7	8.0
2015年	0歳	先天奇形,変形および染色体異常	715	71.1	37.3	周産期に特異的な呼吸障害等	248	24.7	12.9	乳幼児突然死症候群	96	9.5	5.0
	1～4歳	先天奇形,変形および染色体異常	159	4.0	20.5	不慮の事故	109	2.7	14.0	悪性新生物	68	1.7	8.8
	5～9歳	悪性新生物	100	1.9	22.1	不慮の事故	87	1.7	19.2	先天奇形,変形および染色体異常	33	0.6	7.3
2016年	0歳	先天奇形,変形および染色体異常	663	67.9	34.4	周産期に特異的な呼吸障害等	282	28.9	14.6	乳幼児突然死症候群	109	11.2	5.7
	1～4歳	先天奇形,変形および染色体異常	150	3.8	21.7	不慮の事故	85	2.2	12.3	悪性新生物	59	1.5	8.6
	5～9歳	悪性新生物	84	1.6	21.5	不慮の事故	68	1.3	17.4	先天奇形,変形および染色体異常	32	0.6	8.2

乳児(0歳)の死因については乳児死因簡単分類を使用している．死因順位は死亡数の多いものからとなっているが，同数の場合は，同一順位に死因名を列記し，次位を空欄とした．死因名は次のように省略した．心疾患←心疾患(高血圧性を除く)，周産期に特異的な呼吸障害等←周産期に特異的な呼吸障害および心血管障害，胎児および新生児の出血性障害等←胎児および新生児の出血性障害および血液障害．構成割合は，それぞれの年齢階級別死亡数を100とした場合の割合である．
(政策統括官付参事官付人口動態・保健社会統計室：人口動態統計月報年計(概数)の概況．厚生労働省，2011～2016より引用改変)

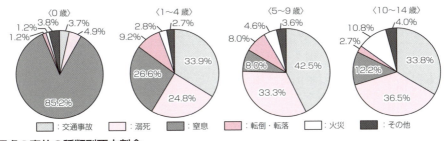

図1 ● 不慮の事故の種類別死亡割合

(政策統括官付参事官付人口動態・保健社会統計室：平成27年人口動態調査「不慮の事故の種類別にみた年別死亡数百分率」．厚生労働省，2015(政府統計の総合窓口(e-Stat)https://www.e-stat.go.jp/stat-search/files?page=1&layout=datalist&toukei=00450011&tstat=000001028897&cycle=7&year=20150&month=0&tclass1=000001053058&tclass2=000001053061&tclass3=000001053065&stat_infid=000031450299[閲覧日：2019.1.11]))

チェックします。実際に起きた事故について検討することも大切です。

場所別に，具体的に点検する項目を解説します。

1）室内

- 床から1m以下のところには，口に入る小さな物は放置しない。
- 水の入った灰皿や空き缶は放置しない。
- 内容の違うものを別の容器に移し替えない。
- テーブルの角などには，クッションをつける。
- テーブルクロスは，テーブルに固定するか，使わない。
- ポット，炊飯器，加湿器，アイロンなどは，子どもの手の届かないところに置く。
- ガラスには，割れたときに飛び散らないように安全フイルムをはる。
- 使っていないコンセントには，安全カバーをつける。
- おもちゃは定期的に点検し，使い終わったときはおもちゃ箱に片付ける。
- サッシの窓ガラスは，手を挟まないように，簡単に開けられないようにする。
- ドアに挟まれないようにストッパーをつける。
- 包丁，ナイフなどが閉まってある棚は簡単には取り出せないようにする。
- こわれやすい花瓶，置物を置いておかない。
- 段差でつまずかないか，じゅうたん（カーペット）などがめくれていないか。
- 床に，新聞紙，雑誌など，足を乗せてすべりやすいものを置かない。
- 薬箱，裁縫箱などは手が届かないところに片付ける。
- 引き出し，ガラス戸などを開けっ放しにしない。
- 階段や台所に簡単には入れないようにする。
- ストーブ，扇風機，シュレッダーなどには，指を入れないように防御カバーなどをつける。
- 階段では，3歳以下では大人の目が届くようにし，後ろ向きで降りさせるようにする。
- 台所，洗面所，トイレの床は，水がこぼれてすべりやすい状態にしない。
- 階段やベランダにつける柵の幅は身体が通らないように10cm以下とする。
- 浴槽の水は張ったままにせず，使用しないときは，浴槽の入り口は鍵を閉める。
- 窓の下やベランダ，洗濯機の近くには踏み台や家具は置かない。
- ベッドで寝るときには，柵を上げる。
- 子どもの目線でもう一度室内を点検する。

2）屋外

- 車道を歩くときは，手をつなぎ，大人が車道側を歩く。
- ベビーカーではシートベルトをつけ，止めるときには，ストッパーをつける。
- 自転車に乗せるときには，停止した状態でそばを離れない。
- 自転車の補助いすに乗せるときには，足台に足を乗せるようにする。
- 駐車するとき，車の中に幼児だけ残さない。

第7章｜よく起こる事故について知ろう

- ●車に乗せるときには，チャイルドシートに乗せ，シートベルトで固定する。
- ●大型バイクは，転倒やマフラーでやけどをすることがあるので，そばに寄らせない。
- ●駐車場では，目を離さない。
- ●遊具が壊れていたり，引っかかるところがないか気をつける。
- ●ブランコでは，動いているときには，そばに寄らせない。
- ●ブランコでは，きちんと止まってから乗り，立ったまま乗らない。
- ●滑り台では，反対側から登らせない。
- ●手さげカバンやマフラーをしたまますべらせない。
- ●水遊びのときには，そばを離れない。
- ●紫外線対策をしっかりし，日焼け止めクリームを塗る。
- ●草むらに入るときには，長袖，長ズボンを着せ，虫除け対策をする。

E　事故後の精神的支援

　事故や災害で怖い体験をしたときの後には，**急性ストレス反応**（ASR：acute stress reaction）や，長期にわたって続き日常生活に障害を及ぼす**外傷後ストレス障害**（PTSD：post-traumatic stress disorder）となることがあります。子どもの場合は特に臆病になって，活発な活動ができなくなったり，夜中にうなされたり，食欲不振や頻尿になったり，幼児がえりになることがしばしばあります。事故や災害発生の早期から，このことを念頭に置いた対応が必要です。

F　安全への配慮

　子どもは，遊びを通じて心身能力を高めて事故回避できる力を養います。遊びの要素の冒険や挑戦には危険性も内在していますが，子どもが判断不可能な危険性は，危険因子を減らすように安全管理をしっかり行い，事故の回避能力を育む危険性や対応を学ぶ機会を増やすようにします。

G　安全管理

　事故を予防するためには，日頃より，事故につながる危険性について点検し，問題があれば解決方法を考える**リスクマネジメント**が必要です。そのためには，事故につながるかもしれない事例を**ヒヤリ・ハット報告**（図2，図3）として出してもらい，数が多い事例や，重大事故につながる可能性のある事例については，改善策を作成し，実行します。

　事故を起こす要因として，図4のような SHELL のモデルがあり，さまざまな角度から分析します。また，事故回避のためには，図5のように PDCA サイクルで検討して，継続的な対策を立てます。

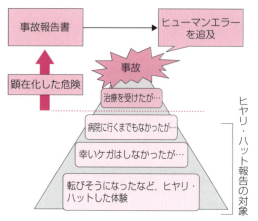

図2●保育所・幼稚園における事故
(関川芳孝：保育士と考える 実践保育リスクマネジメント講座. p26, 社会福祉法人 全国社会福祉協議会, 2008)

図3●ヒヤリ・ハット報告書の様式
(関川芳孝：保育士と考える 実践保育リスクマネジメント講座. p30, 社会福祉法人 全国社会福祉協議会, 2008)

S ソフトの要因	Soft Ware：保育所・クラス運営 作業の手順
H ハードの要因	Hard Ware：施設設備・備品
E 環境の要因	Environment：職場の雰囲気・環境
L 当該保育士の要因	Live Ware：保育者当人
L それ以外の人の要因	Live Ware：子どもや保護者など

図4●SHELL モデル
(関川芳孝：保育士と考える 実践保育リスクマネジメント講座. p32, 社会福祉法人 全国社会福祉協議会, 2008 より改変)

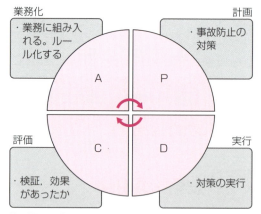

P：Plan, D：Do, C：Check, A：Action

図5●事故回避のための PDCA サイクル
(関川芳孝：保育士と考える 実践保育リスクマネジメント講座. p33, 社会福祉法人 全国社会福祉協議会, 2008)

　安全管理には**対人管理**と**対物管理**とがあり，対人管理では，各職員の協力体制や責任体制の明確化があります。対物管理では，施設設備や遊具・用具の日々の点検，整備が必要です。管理体制が強すぎて，子どもの行動を規制しすぎたり，過保護にならないようにすることも大切です。

H 安全教育

　日常生活の場面で，安全な生活習慣や態度を身につけるようにします。事故災害時には，保育者・保護者の指示に従い行動できるようにし，危険な状態を発見したときには，

第7章 よく起こる事故について知ろう

表2 ●避難時の心構えの標語
お：おさない
か：かけない
し：しゃべらない
も：もどらない

表3 ●防犯の標語
いか：知らない人についていかない
の：知らない人の車にのらない
お：おおごえで叫ぶ
す：すぐに逃げる
し：周りの大人にしらせる

近くの大人に伝えることができるようにします。安全教育では，**子どもの特性**に配慮します。

1）身体的特性

子どもが自分で，状況に応じ身体を動かして，危険を回避できるようにします。

2）知的特性

子どもの好奇心を大切にしながら，危険に対する注意力を身につけるようにします。

3）精神的特性

必要以上に臆病にならないように，場面を限定して，危険を理解させ，慎重に行動させるように指導します。

①交通安全教育

交通ルールやマナーは，何度も同じ行動を反復しながら身につけさせます。子どもの目の高さが低く，視野は大人より狭いことにも配慮します。

②避難訓練

火災や地震を想定した訓練を定期的に行います。避難経路や避難場所，家族との連絡方法を一人ひとりに確認し，事前に訓練の必要性や行動の仕方（**表2**）を指導し，保護者との協力体制を確立しておくことが大切です。災害時の備蓄は定期的に点検しておく必要があります。保存食は最低3日間は生活できる量の水や食品を用意し，備蓄品のリストを作成し，保存場所を周知しておきます。

障害児や病児の場合は，災害時には特別な配慮が必要なことがあります。投薬の確認，医療機器の確認を定期的に行います。自閉症児では，落ち着ける環境を用意します。食物アレルギー児の食事の確保，アトピー性皮膚炎の子どもにシャワーを優先的に配慮する，また避難所に来られない子どもがいる場合は，情報や必要物品が届いているかの確認も大切です。

③防犯指導

出入り口の鍵，防犯カメラの設置，防犯ブザーなどの対策のほかに，不審者への対応（**表3**）の指導や，地域との協力体制が必要です。

I　子ども虐待

1）子ども虐待の現状

児童相談所への通報件数は，この10年間で15倍になっていますが，社会の関心の高まりからくる「掘り起こし」の要素も大きいものと思われます。虐待の種類は，**心理的虐待**が

最も多く，ついで**身体的虐待，ネグレクト，性的虐待**の順です。心理的虐待では，必要以上に叱ったり，馬鹿にする言動を直接的に行うだけでなく，パートナーに暴力を振るう場面を見せることも含まれます。心理的虐待や性的虐待はなかなか発見されづらく，実際はもっと多くのケースが隠されている可能性があります。子どもに関わる者は，子ども虐待の早期発見につとめ（**表4**），発見したときには，**児童相談所**に通告しなければなりません。虐待を受けた子どもは，不安や怯え，うつ状態など心理的問題や反応性愛着障害を示すことが多く，虐待を行っていた保護者も心理的，経済的問題をかかえていることが多いので，長期にわたったサポートも大切です（**図6**）。

2）身体的虐待の特徴

①発育・発達が遅れている。特に身長の伸びが悪い。

②創傷（たたかれたり，つねったりした跡ややけども含む）が多発し，新旧の創傷が混在している。年長児では，服で隠れている部分の創傷が多い。

③通常では考えられない部位の創傷（乳幼児の肋骨骨折，長幹骨骨端（大腿骨骨頸部など）の骨折，広範囲の頭蓋骨折など）がある。

④保護者が医療機関に連れていきたがらない。

⑤保護者の原因の説明があいまいで，話がころころ変わる。

⑥子どもが異常にびくびくしたりするなど，親子関係が確立していない。

3）ネグレクトの特徴

①洋服が汚れていたり，入浴した様子がみられない。

②体重の増加が少ない。

③体調が悪くても，なかなか医療機関に連れて行かない。

Column 事件・災害の予防と対応

　地震，洪水，台風，火山噴火，津波などの自然災害，交通事故，火災などの人為的災害など，突発的な災害に巻き込まれたときには，災害弱者であるCWAP（C：children：子ども，W：women：女性，A：aged people：高齢者，P：patient：病人，障害者）への配慮が必要です。特に子どもは，自分の欲求を適切に表現できなかったり，周囲の大人が復興にむけて，忙しく動いている中で取り残されたりしがちで，子どもへの配慮がなかなか行き届かないことがあります。

　1995年に起きた阪神・淡路大震災では，6,000人を超える総死亡者のうち，15歳以下の子どもは7.1％と多くはなかったものの，その後のPTSDから回復するのに時間がかかったり，生活環境の変化への適応に問題があったりしたことが指摘されています。災害後の治療にあたってはできる限り保護者と分離しないこと，水などの配給では，感染に弱く，脱水になりやすい子どもには，優先的に配給すること，子どもの遊びの空間を確保しておくことなどが大切です。

　2011年3月に起きた東日本大震災では，目の前で級友や，家族が津波に奪われるという経験をした多くの子どもたちがいました。現在も，元の生活に戻れていない子どもたちも多く，息の長い支援が必要です。障害児が新しい環境になじめず，落ち着きを失ったりしていることも報告されています。放射線汚染の心配で，外遊びが少なくなった子どもたち，新しい住居が分散して，家族や友達と離ればなれになった子どもたちにも課題が山積みです。内部被曝が疑われた子どもたちの長期的な健康への影響は，まだはっきりしていませんが，甲状腺への影響など，継続的な検査を行う必要があります。また，地震や津波，放射線の直接被害がなかった地域の親子も，震災後に屋外遊びを減らしたり，緊急時に連絡が十分取れなくなったことで，保護者の不安も募り，子どものストレスサインが増えたという報告もありました。災害時の準備を日頃より行い，周囲の人とのコミュニケーションを多くし，情報を共有化することが必要です。

　2016年4月に起きた熊本地震では，震度7の地震が2回あり，恐怖を経験した子どものPTSDも多く見られました。災害後の子どもの心のケアは早期から取り組む必要があります。

第7章 | よく起こる事故について知ろう

表4 ● 子ども虐待評価チェックリスト(確認できる事実および疑われる事項)

子どもの様子(安全の確認)	評価
不自然に子どもが保護者に密着している	
子どもが保護者を怖がっている	
子どもの緊張度が高い	
体重・身長が著しく年齢相応でない	
年齢不相応な性的な興味関心・言動がある	
年齢不相応な行儀の良さなど過度のしつけの影響がみられる	
子どもに無表情・凍りついた凝視がみられる	
子どもと保護者の視線がほとんど合わない	
子どもの言動が乱暴	
総合的な医学的診断による所見	

保護者の様子	評価
子どもが受けた外傷や状況と保護者の説明につじつまが合わない	
調査に対して著しく拒否的である	
保護者が「死にたい」「殺したい」「心中したい」などと言う	
保護者が子どもの養育に関して拒否的	
保護者が子どもの養育に関して無関心	
泣いてもあやさない	
絶え間なく子どもを叱る・罵る	
保護者が虐待を認めない	
保護者が環境を改善するつもりがない	
保護者がアルコール・薬物依存症である	
保護者が精神的な問題で診断・治療を受けている	
保護者が医療的な援助に拒否的	
保護者が医療的な援助に無関心	
保護者に働く意思がない	

生活環境	評価
家庭内が著しく乱れている	
家庭内が著しく不衛生である	
不自然な転居歴がある	
家族・子どもの所在がわからなくなる	
過去に虐待歴がある	
家庭内の著しい不和・対立がある	
経済状態が著しく不安定	
子どもの状況をモニタリングする社会資源がない	

評価　3：強くあてはまる
　　　2：あてはまる
　　　1：ややあてはまる
　　　0：あてはまらない

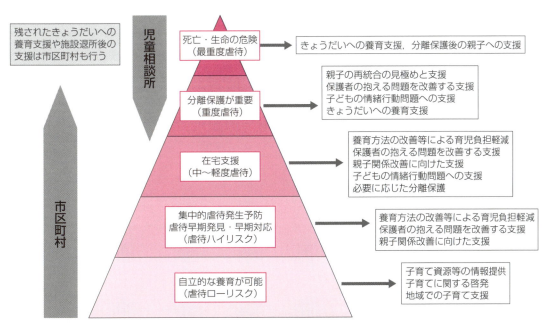

図6 ● 虐待の重症度と対応内容および児童相談所と市区町村の役割

課題 1　子どもの事故防止のチェックポイントを場面別の絵で示して項目をあげてみよう

子どもの保健の基本的知識や現場で出会うさまざまな保育課題を質問形式にしています。講義ページとあわせて学習しましょう。

※解答(例)は 189〜190 ページ

1) 首が坐る前の乳児の事故予防のチェック
2) 寝返り，はいはいができる乳児の事故予防のチェック
3) 歩き出した乳幼児の事故予防のチェック
4) 居間の事故予防のチェック（**例1**）
5) 洗面所，浴室の事故予防のチェック（**例2**）
6) 台所，食事の事故予防のチェック（**例3**）
7) トイレでの事故予防のチェック
8) ベランダや庭での事故予防のチェック
9) 外出時のベビーカー，自転車に乗せたときの事故予防のチェック
10) 公園での事故予防のチェック（**例4**）
11) 道路を歩くときの事故予防のチェック
12) プール，海水浴での事故予防のチェック
13) バスに乗るときの事故予防のチェック
14) 駅で列車に乗るときの事故予防のチェック
15) 異年齢で遊んでいるときの事故予防のチェック

話し合ってみよう

◆子どもに事故防止の指導をする方法を考えてみましょう。
◆災害が起きたときの行動について，行動の手順を確認しましょう。

4) 例1（居間）

5) 例2（洗面所・浴室）

6) 例3(台所)

10) 例4(公園)

第7章 よく起こる事故について知ろう

例5（保育室内）

課題2 　実際に遭遇した事故のケースを検討してみよう

例）やけど
　　はさみ事故
　　誤飲誤嚥
　　転落
　　転倒
　　おぼれる

課題3 　保育所，幼稚園，児童館，学校で事故防止のチェック項目をつくってみよう

例）室内（**例5**）
　　廊下
　　トイレ
　　体育館
　　園庭（校庭）
　　飼育小屋
　　プール
　　階段

課題4 保護者に事故防止の指導をするときのチェック項目をつくってみよう

例）乳児（0〜3か月，3〜6か月，6〜9か月，9〜18か月）
　　幼児
　　学童

課題5 子どもが誤飲してしまう物の大きさを確かめよう

チャイルド・マウスを作ってチェックしてみよう。

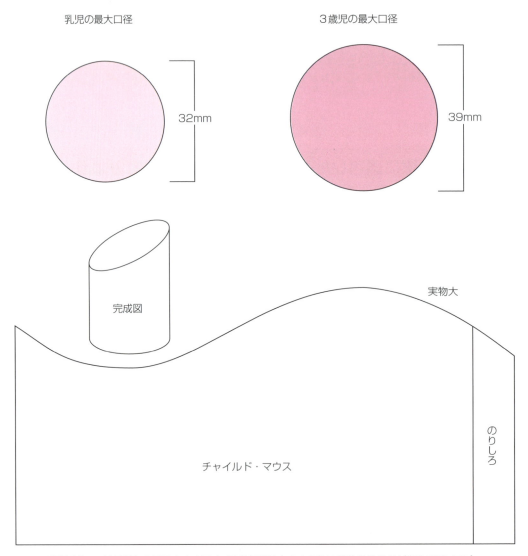

直径39mmは子どもの口の大きさです。これを通る大きさの物は誤飲のおそれがあります。コピーをして切り抜き，身のまわりのものを入れてみましょう。意外に大きなものでも子どもの口に入ってしまいます。

課題6 子どもの視野を体験してみよう

幼児視野体験メガネを作ってみよう。

子どもの安全を守るためには，まず発達段階における子どもの特性を十分に理解しておく必要があります。その特性のひとつに，視野がせまいことがあげられます。

幼児視野体験メガネ
展開図を組み立て，家の中などで幼児の目の高さになり，視野のせまい幼児の世界を体験しましょう。
＊視野…危険を察知するのに必要な距離感や立体感を感じとれる両眼視野のこと

※141%拡大コピーをとって作成して下さい。

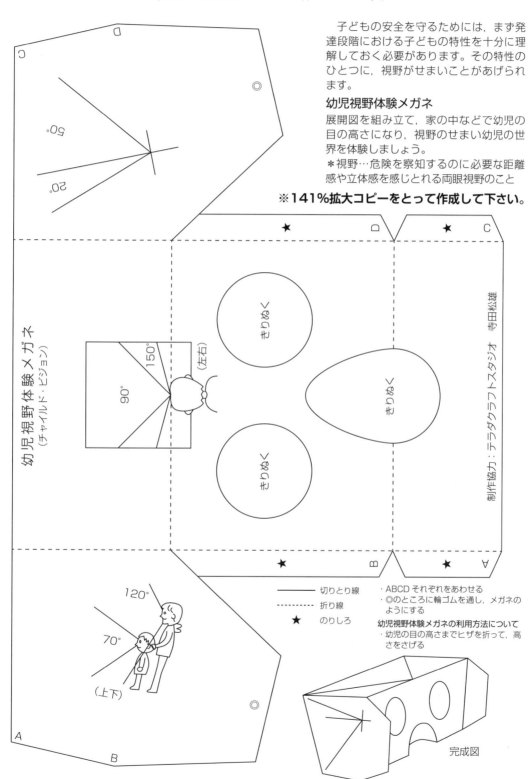

完成図

解答は 190～191 ページ

第7章　おさらいテスト

問1　次の文の（　　）に適当な語句を入れなさい。

①首が坐っていない3か月までの事故は，（　　　　　　）が最も多く，寝返りや坐ることができるようになると，（　　　　　　）が多くなる。

②子どもで多い傷害の身体部位は，（　　　　　）である。

③事故や災害で怖い体験をした後に，長期にわたって日常生活に障害を及ぼすことを（　　　　　　）といい，体験後，（　　　　　　）に対応を考えておく必要がある。

④子ども虐待の種類は，（　　　　　）が最も多く，ついで，（　　　　　），（　　　　　），（　　　　　）の順である。

⑤子ども虐待を発見したときには，（　　　　　）に通告しなければならない。

問2　次の記述について，適切なものに○，適切でないものに×をつけなさい。

①（　　）1～9歳の死因で不慮の事故は第2位である。

②（　　）1～9歳の不慮の事故の死亡で最も多い原因は，転倒である。

③（　　）0歳児で最も多い不慮の事故死の原因は，窒息である。

④（　　）PTSDへの対応は，受傷後しばらく期間をおいて落ち着いてから行うことが望ましい。

⑤（　　）保育者は，虐待の対応の際には，警察，保健所と連携をとればよい。

⑥（　　）虐待は身体的虐待，性的虐待，心理的虐待の3つのタイプに分けられる。

問3　下記は，保育所保育指針解説書の中の「虐待などへの対応」についての記述である。（　A　）～（　E　）に当てはまる語句の正しい組み合わせを一つ選びなさい。

　虐待が疑われる子どもでは，次のような心身の状態が認められることがある。
発育障害や栄養障害，体に不自然な傷・皮下出血・（　A　）・やけどなどの所見，おびえた表情，暗い表情・極端に落ち着きがない・激しいかんしゃく・笑いが少ない・泣きやすいなどの（　B　）面の問題，言語の遅れがみられるなどの発達の障害，言葉が少ない・（　C　）・不活発・乱暴で攻撃的な行動，衣服の着脱を嫌う，食欲不振・極端な偏食・拒食・過食などの食事

122

上の問題が認められることもある。

　虐待が疑われる場合には，子どもの（　D　）とともに，家族の養育態度の改善をはかることに努める。この場合，一人の保育士や保育所単独で対応することが困難なこともあり，嘱託医，地域の（　E　），福祉事務所，児童委員，保健所や市区町村の保健センターなどの関係機関との連携をはかることが必要である。

＜組み合わせ＞

	A	B	C	D	E
①	打撲	情動	緘黙	養護	教育相談所
②	外傷	心理	不注意	治療	病院
③	骨折	情緒	多動	保護	児童相談所
④	打撲	情動	寡黙	治療	教育相談所
⑤	骨折	心理	寡動	保護	児童相談所

MEMO

第8章

いざというときの
応急処置について知ろう

◆子どもの心肺蘇生の方法を理解する

◆子どもの急病時，傷害時の応急処置を理解する

A 子どもの応急処置における留意点

1）重症のけがや意識がないとき

　事故や急病で子どもがぐったりしているときは，まず大声で人を呼び，手分けして処置をする必要があります。意識があるかないかの確認は，耳元で子どもの名前を呼び，肩を叩きます。反応がないときは，呼吸と脈を確認し，どちらも大丈夫なときには半うつぶせ寝の**回復体位**（図1）にして，救急車を手配します。心臓や呼吸が止まっているときには，**心肺蘇生**（CPR：cardiopulmonary resuscitation）を開始します。子どもの心停止の場合，救助者が一人しかいないときには，まず2分間心肺蘇生をしてから，救急車を手配します。

　心臓や呼吸が止まっている人の命を救うためには，①迅速な通報，②迅速な心肺蘇生，③迅速な電気的除細動が大切で，この3つを**一次救命処置**といいます。子どもの場合は，②の心肺蘇生をすばやく行うことが最も大切です。

2）心肺蘇生法

　心肺蘇生は，以前は以下のABCの手順を順に行っていましたが，最新の手順では，呼吸がないときは，CABの順で，胸骨圧迫をまず行うことになっています（図2）。

① A：Airway（気道確保）

　仰向けに寝かせた状態で，首を少し持ち上げ，前頭部を下方に押し，喉頭から気管までを一直線にします。口腔内に吐物があるときには，取り出します。

② B：Breathing（人工呼吸）

　気道確保をしながら，胸部や腹部の動きがあるか，鼻から息が出ているかを見て，呼吸の有無をみます。呼吸が止まっているときには，口対口の人工呼吸を行います。乳児の場合，口と鼻の両方に息を吹き込みます。幼児以上の場合，鼻をつまんで口から息を吹き込みます。人工呼吸は，3～4秒に1回行います（図3）。

③ C：Circulation（胸骨圧迫）

　呼吸をしていないときには子どもを固い床や板に移して胸骨圧迫を行います。胸骨圧迫は，乳児までは指2本で胸部の1/3がへこむくらいの力で圧迫します。幼児以降は片手または両手で行います（図4）。胸骨圧迫の回数は，大人と同じ1分間に100～120回です。AEDがある場合は，救助者が救護者に触れていないことを確認してから，除細動を行います。乳幼児では小児用電極パッド，もしくは小児用モードに替えます。除細動後は，再び胸骨圧迫を継続します。

図1 ●回復体位

3）子どものAED（自動体外式除細動器）の使用方法

　成人と異なり，子どもの心肺停止の原因では，気道閉鎖によることが多いので，AED（automated external defibrillator）の使用より，人工呼吸と心臓マッサージによる心肺蘇生を優先しますが，スポーツ中，ボールが心臓部位に強打して心臓震盪になって心停止したときなどには，AEDによる除細動（心臓の心室細動の際に機械などで刺激を与え心臓の働きを元に戻すこと）が必要となります。乳幼児の場合は，小児用モードにするか，小児用電極パッドに取り替えます（図5）。AEDによる通電を行った後はすぐ心肺蘇生を続けます。

B 急病時の応急処置

1）けいれん

　6歳までの幼児では，発熱時にひきつける熱性けいれんを起こすことがあります（84ページ参照）。てんかんの場合は，発熱がなく，同様のけいれんを突然起こします。意識がなくなり，眼が上転して手足が固くガタガタふるえることがあります。たいていは5分以内におさまる後遺症の心配のないものがほとんどです。舌をかみきることはまずありませんので，口の中に何かを突っ込んだりすると，嘔吐を誘発して気道をつまらせる危険が

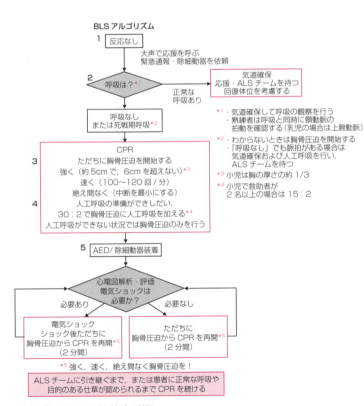

図2 ●小児の心肺蘇生手順
（一般社団法人日本蘇生協議会：JRC蘇生ガイドライン2015．p49，医学書院，2015）

図3 ●乳児の人工呼吸

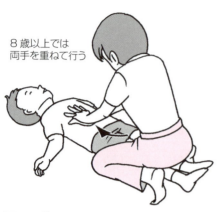

図4 ● 胸骨圧迫

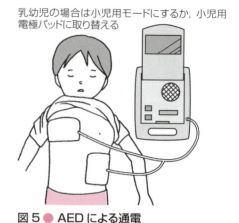

図5 ● AEDによる通電

ありますのでやってはいけません。大声で呼んで身体をゆするのも，逆に刺激によってひきつけが長びくことがあるのでやらないようにします。洋服をゆるめて，身体と頭を横にして楽な姿勢にして，けいれんが何分続くか測ります。5分以上けいれんが続くとき，何回もけいれんを繰り返すとき，けいれん後に意識が戻らないとき，けいれん後に手足の麻痺があるようなときには，医療機関に連れて行きます。けいれんが10分以上続くときは救急車を呼んでもかまいません。

2）呼吸困難

今まで元気だった子どもが急に呼吸が苦しくなる場合，乳幼児では誤嚥による可能性が考えられます。咳き込んでいるときは，背中を叩いて排出しやすいようにしますが，声が出なくなっているようであれば，窒息のときと同じ救急処置を行います。じんま疹などを伴っていたり，顔が腫れているときには，**アナフィラキシー**の心配があります。足を高くして寝かせ，救急車を手配します。喘息発作や喉頭炎で呼吸が苦しくなっているときには，身体を起こして坐らせ，水分補給し，改善しないときには医療機関に連れて行きます。

C 傷害時の応急処置

1）出血

まず，出血がある部位を清潔なガーゼなどで圧迫します。それでも出血が続くときにはさらに，傷口より心臓に近い部分を圧迫します。止血がなかなかできないときは，傷口を圧迫しながら出血している手足を心臓より高くします。気持ちが悪い様子であれば，横にして，足を高くします（図6）。**鼻出血**のときには，鼻をつまんで下を向かせて，静かにし，鼻頭のところを冷やします（図7）。子どもの場合，興奮して泣き止まないと，なかなか出血が止まらないことがありますので，やさしく抱いて落ち着かせることも大切です。

2）切り傷，刺し傷，擦り傷

傷からの感染防止のため，傷口を流水で洗って，汚れを取り除きます。傷口が大きい場合は，きれいな滅菌ガーゼで保護し，傷が深い場合は縫合が必要なときもありますので，

第8章 いざというときの応急処置について知ろう

Column 子どもの新しい心肺蘇生指針

　一次救命処置の方法は，国際蘇生連絡会議において2005年末に大改定がありました。ここでは，できるだけ多くの人に救命蘇生をしてもらえるように，子どもと成人で異なる部分をできるだけ少なくしています。一次救命救急では，1歳から8歳までを「小児」として扱います。1歳未満は「乳児」とします。人工呼吸と胸骨圧迫の回数は，従来15：2でしたが，救急蘇生を一人で行うときには，成人と同じ30：2になりました。これは，回数や比率が子どもで異なることで，子どもの救急蘇生をためらうことがないようにということと，人工呼吸がうまくできなくてもためらわず胸骨圧迫をすることを勧めています。2010年の改定では，救急センターへの通報は成人も子どももただちに行い，AEDは乳児にも使えるようになりました。

　子どもと成人とで一次救命救急で異なる点は，以下の3点です。

①胸骨圧迫の位置，方法，深さ

　1歳以上であれば，圧迫する位置は，成人と同じく両乳頭を結んだ中央でよいですが，1歳以下ではやや足側にします。成人では両手，1～8歳では片手の手のひら，1歳以下では指2本で行います。圧迫の深さは体格によって異なるので，胸の厚みの1/3が沈み込む程度にします。

② AEDの扱い

　2006年4月より小児用のAEDパッドが使用可能となりましたが，このパッドがない場合は，パッド同士が重なり合わないように貼れれば成人のパッドを使用しても構いません。

③乳児の人工呼吸と気道異物除去の方法の違い

　1歳以上の人工呼吸では，鼻をつまんで口より空気を吹き込みますが，乳児の人工呼吸では，鼻と口の両方から空気を吹き込みます。気道異物除去では乳児では腹部突き上げ法ではなく，片腕に乳児を頭を低くしてうつぶせに乗せ，背中の真ん中を数回叩く，背部叩打法と胸部突き上げ法を交互に行います。

一次救命処置 ＼ 年齢		成人（8歳以上）	小児（1～8歳未満）	乳児（1歳未満）
通　報		反応がなければ大声で叫び，応援を呼ぶ		
		119番通報・AEDの手配		
気道の確保		頭部後屈あご先挙上法		
心肺蘇生開始の判断		普段どおりの息（正常な呼吸）をしていない		
人工呼吸 （省略可能）		約1秒かけて2回吹き込む・胸が上がるのが見えるまで		
		口対口		口対口鼻
胸骨圧迫	圧迫の位置	胸の真ん中 （両乳頭を結ぶ線の真ん中）		両乳頭を結ぶ線の 少し足側
	圧迫の方法	両手で	両手で （片手でもよい）	2本指で
	圧迫の深さ	4～5cm程度	胸の厚み1/3	
	圧迫のテンポ	1分間に約100回		
	胸骨圧迫と人工呼吸比	30：2	できるだけ早く人工呼吸を行い，その後30：2	
AED	装着のタイミング	到着次第		
	電気パッド	成人用パッド	小児用パッド （ない場合は成人用パッド）	
	電気ショック後の対応	ただちに心肺蘇生を再開（5サイクル2分間）		
気道異物による窒息	反応あり	腹部突き上げ法 背部叩打法		背部叩打法 （片腕にうつぶせに乗せ） 胸部突き上げ法
	反応なし	通常の心肺蘇生の手順		

外科のある医療機関を受診します。

129

3）骨折，脱臼

局所（骨折した箇所）の動きがおかしかったり，激しい痛みがあるときには，局所を安静にして冷やし，関節を動かないようにダンボールか太い棒に包帯で固定して医療機関を受診します。

4）肘内障

子どもでは，片手を急にひっぱると肘の関節が靱帯の外側にぬける肘内障になることがあります。手を上にあげると痛がるという症状がみられるので，医療機関で元に戻してもらいます。

5）頭部打撲

打撲直後に泣いてしばらく後に元気になれば，そのまま様子をみてもかまいません。ぐったりして泣かなかったり，呼吸がおかしかったり，顔色が悪いときは，救急車を呼びます。すぐに元気になっても，その後，1日は，嘔吐がないか，目つきや意識状態の変化に注意して，異常があるときには脳神経外科のある医療機関を受診します。

6）火傷

まず流水で冷やすことが大切で，10〜15分ほど痛みがとれるまで冷やします。流水がないときは，氷や冷たいジュースの缶で冷やしてもよいでしょう。衣類を着ているところを火傷したときには，衣類を着たまま冷やします（図8）。焼けて皮膚が真っ黒になっているときや，炎を気道に吸い込んでいるときには，すぐに救急車を呼びます。

7）溺水

口の中の水を外に出し，身体が冷えすぎないように，着替えさせて温めます。呼吸していないときは，口対口の人工呼吸を行います。

8）誤飲

乳幼児は手に取ったものを何でも口にもっていく習慣があり，しばしば誤飲を起こします。最も多いのはタバコで，吸い殻の入った水を飲んだときは，ただちに嘔吐させ，医療機関で胃洗浄を行うこともあります。大きなものを誤飲して食道のところに留まったときには，医療機関で除去してもらう必要があります。ボタン電池は胃穿孔の危険があるた

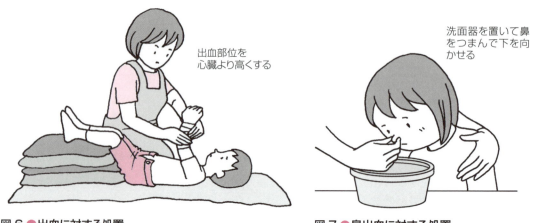

図6 ●出血に対する処置　　　　　図7 ●鼻出血に対する処置

め，医療機関で磁石付カテーテルを用いて除去します。

9) 誤嚥

経口摂取していたものや嘔吐したものが，気道に入ることを誤嚥といい，何かを食べているときに突然咳き込み，喘鳴が聞こえたときには誤嚥を疑います。子どもで最も多い誤嚥はピーナッツなどの豆類で，ほかに餅，こんにゃくゼリー，ガム，飴，小さな玩具も注意が必要です。誤嚥を起こしたときには，背中を叩いて，誤嚥物の排出を促します（図9）。年長児では，背中を叩いて出ないときは胸骨圧迫し，それでも無効なときは腹部を上方に圧迫します（図10）。

10) 熱中症

高温多湿の所で運動を行うときや，乳幼児では過度の厚着や炎天下の車内に放置されたときに発症する熱性障害で，症状の軽い順より，熱けいれん，熱疲労，熱射病があります。熱けいれんは，突然の有痛性の筋肉のけいれんです。熱疲労は，体温調節は保たれていますが，発汗による脱水を認めます。涼しい場所に連れて行き塩分を含む水分を補給します。熱射病では，高度の脱水，発熱，意識障害をきたします。衣服を脱がせて水で湿らせたタオルやスポンジで身体をふき，救急車を呼びます（図11）。

熱中症を予防するために，気温のほかに湿度，輻射熱を取り入れた指標として，
　WBGT（湿球黒球温度：wet bulb globe temperature）
　　＝（0.7×湿球温度＋0.2×黒球温度＋0.1×乾球温度）
があります。WBGT温度が31℃以上では，皮膚より気温のほうが高くなるので，運動は中止します。このWBGTで，屋外作業やスポーツの指針を決めることができ（表1），また，簡単に測定できる計測装置があります（図12）。

11) アナフィラキシー

アレルギー反応のうち，最も重症で，じんま疹，口腔，咽頭のアレルギー性腫脹，喘鳴，呼吸障害，血圧低下，などの一連の症状を認めることがあります。通常，原因物質と接触後30分以内に起こることが多く，ショック状態になったときには命の危険もあるため，アナフィラキシーを疑ったときには，急いで救急病院に連れて行く必要があります。

図8● 火傷に対する処置

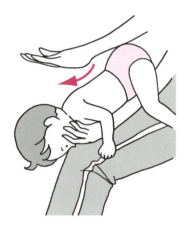

図9 ● 誤嚥時の背部叩打法（乳児）

図10 ● 誤嚥時の腹部圧迫突上げ法（年長児）

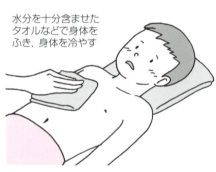

図11 ● 熱中症に対する処置

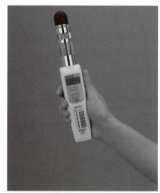

図12 ● 熱中症指標計（京都電子工業（株）製品）

過去にアナフィラキシーを起こしたことがある場合には，緊急時に自己筋注できるアドレナリンの注射製剤（エピペン®）があります（**表2**）。事前の健康調査でアナフィラキシーを起こしたことのある子どもの場合は，医療機関の診断書を確認し，保護者と直接面談をしておきます。症状が出現したときの対応を全職員に徹底するとともに，エピペン®を預かったときには，保管場所の周知と使い方の講習会を全職員に行います（**図13**）。

12）凍傷

温かい場所に移動させ，靴下や手袋をそっと脱がせます。両手を子ども自身のわきの下に入れ，足は介助者のわきで温めます。こすったりしないほうがよいでしょう。

13）電撃傷

子どもが感電し，まだ電源から離れていないときには，電源スイッチを切るか，救助者

第8章　いざというときの応急処置について知ろう

表1 ●熱中症予防のための運動指針

WBGT℃〜	湿球温度℃〜	乾球温度℃〜		
〜31〜	〜27〜	〜35〜	運動は原則中止	WBGT 31℃以上では，特別の場合以外は運動を中止する。特に子どもの場合には中止すべき。
〜28〜	〜24〜	〜31〜	厳重警戒（激しい運動は中止）	WBGT 28℃以上では，熱中症の危険性が高いので，激しい運動や持久走など体温が上昇しやすい運動は避ける。運動する場合には，頻繁に休息をとり水分・塩分の補給を行う。体力の低い人，暑さになれていないひとは運動中止。
〜25〜	〜21〜	〜28〜	警戒（積極的に休息）	WBGT 25℃以上では，熱中症の危険が増すので，積極的に休息をとり適宜，水分・塩分を補給する。激しい運動では，30分おきくらいに休息をとる。
〜21〜	〜18〜	〜24〜	注意（積極的に水分補給）	WBGT 21℃以上では，熱中症による死亡事故が発生する可能性がある。熱中症の兆候に注意するとともに，運動の合間に積極的に水分・塩分を補給する。
〜	〜	〜	ほぼ安全（適宜水分補給）	WBGT 21℃未満では，通常は熱中症の危険は小さいが，適宜水分・塩分の補給は必要である。市民マラソンなどではこの条件でも熱中症が発生するので注意。

（日本スポーツ協会：熱中症を防ごう　熱中症予防のための運動指針（https://www.japan-sports.or.jp/medicine/heatstroke/tabid922.html〔閲覧日：2019.1.11〕））環境条件の評価にはWBGTが望ましい．乾球温度を用いる場合には，湿度に注意する．湿度が高ければ，1ランク厳しい環境条件の運動指針を適用する．

表2 ●一般向けエピペン® の適応（日本小児アレルギー学会）

> エピペン® が処方されている患者でアナフィラキシーショックを疑う場合，下記の症状が一つでもあれば使用すべきである。

消化器の症状	●繰り返し吐き続ける	●持続する強い（がまんできない）おなかの痛み	
呼吸器の症状	●のどや胸が締めつけられる ●持続する強い咳込み	●声がかすれる ●ゼーゼーする呼吸	●犬が吠えるような咳 ●息がしにくい
全身の症状	●唇や爪が青白い ●意識がもうろうとしている	●脈を触れにくい・不規則 ●ぐったりしている	●尿や便を漏らす

が絶縁体の上に乗って，木製のものや乾いたタオルなどを用いて子どもを電源から離します。受傷部位を10分以上，流水で冷やします。

● エピペン®の使い方 ―練習用エピペン®トレーナーを使ったトレーニング―

STEP 1 準備
オレンジ色のニードルカバーを下に向けてエピペン®のまん中を利き手でしっかりと握り、もう片方の手で青色の安全キャップを外します。

STEP 2 注射
エピペン®を太ももの前外側に垂直になるようにし、オレンジ色のニードルカバーの先端を「カチッ」と音がするまで強く押し付けます。太ももに押し付けたまま数秒間待ちます。

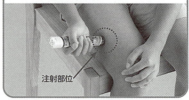

- 注射するところを確認しながら練習してください。
- エピペン®の上下先端のどちらにも親指をかけないように握ってください。
- 太ももの前外側以外には注射しないでください。
- 投与部位が動かないようにしっかり押さえてください。
- 太ももにエピペン®を振りおろして接種しないでください。

STEP 3 確認
注射後、オレンジ色のニードルカバーが伸びたことを確認します。

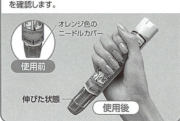

STEP 4 片付け
❶ 青色の安全キャップの先端を元の場所に押し込んで戻します。

❷ オレンジ色のニードルカバーの先端を机などの硬い面の上に置きます。オレンジ色のニードルカバーの両側上部を指で押さえながら、トレーナー本体を下に押し付けて収納します。

患者本人以外が投与する場合
- 注射時に投与部位が動くと、注射部位を損傷したり、針が曲がって抜けなくなったりするおそれがあるので、投与部位をしっかり押さえるなど注意してください。

図13 ● **エピペン®の使い方**（マイランEPD合同会社：エピペンガイドブック．2018 (https://www.epipen.jp/download/EPI_guidebook.pdf〔閲覧日：2019.1.11〕)）

第8章 いざというときの応急処置について知ろう

課題1 救急車の呼び方を実習してみよう

子どもの保健の基本的知識や現場で出会うさまざまな保育課題を質問形式にしています。講義ページとあわせて学習しましょう。

二人一組となって，消防センターと救急車を依頼する人の，応対のやりとりをしてみよう。
1) 場所はわかりやすく伝えられているか。
2) 連絡先を正しく言えるか。
3) 子どもの状態を適切に伝えられているか。

あわてず，ゆっくり，正確に情報を伝える

①救急であることを伝える

> 119番です。火事ですか？ 救急ですか？

> 救急です。

②救急車に来てほしい住所を伝える

> 住所はどこですか？

> （住所），（施設名）です。

③「いつ，だれが，どうして，現在どのような状態なのか」をわかる範囲で伝える
　＊アナフィラキシーの場合は，エピペン®の処方やエピペン®の使用の有無を伝える

> どうしましたか？

> （いつ）から，（だれ）が（どのように）なり，（現在の状態）です。

④通報している人の氏名と連絡先を伝える（119番通報後も連絡可能な電話番号を伝える）
　＊向かっている救急隊から，その後の状態確認等のため電話がかかってくることがある
　　・通報時に伝えた連絡先の電話は，常につながるようにしておく
　　・その際，救急隊が到着するまでの応急手当の方法などを必要に応じて聞く

> あなたの名前と連絡先を教えてください。

> （名前），（電話番号）です。

● 救急要請（119番通報）のポイント

課題2 | 火災，地震，台風，洪水，落雷が起きたときの避難の仕方を確認しよう

※2），3），6），10）の解答（例）は191ページ

1) 火災のときに火元の場所によって，避難経路が異なることを確認しよう。

2) 煙の流れ方によって避難するときの姿勢を確認しよう。

3) 子どもが興奮したときにどうするか手順を確認しよう。

4) 地震が起きたときの最初の行動を確認しよう。

5) 大規模地震が起きたときの避難場所，避難経路を確認しよう。

6) 災害発生時の連絡の取り方を確認しよう。

7) 台風や大雨のとき，どの時点で保護者にお迎えの連絡を入れるか確認しよう。

8) 施設や家屋の周りに洪水や津波が起こる可能性のある場所，悪天候時，転落の危険がある場所などがないか点検してみよう。

9) 屋外で雷が発生したとき，どのように避難するか手順を確認しよう。

10) 今まで，起きたことがある子どもの天災時の事故について調べて何が問題だったか考えてみよう。

   a　学校で校庭を横切って落雷にあった。

   b　大雨のとき，集団で帰宅していたところ，小学生がマンホールの穴に転落し用水路に流された。

   c　川が氾濫しているのを親子で見に行った中学生が，手を離して流された。

課題3 | 心肺蘇生法を実習しよう

1) 心肺蘇生法の実習ができる成人，子ども，乳児の人形で実際に行う。

2) 心肺蘇生法をひとりで行う場合，二人で行う場合の手順を確認しよう。

課題 4　AEDの使い方を確認しよう

※3),4),5)の解答(例)は191ページ

1) 施設や建物のどこにAEDが設置してあるか確認してみよう。
2) 電源の入れ方，パッドの当て方，通電の仕方の手順を確認しよう。
3) 通電時の注意を確認しよう。
4) 除細動後の処置を確認しよう。
5) プールなど濡れている場所で気をつけることを確認しよう。

課題 5　誤嚥時の処置を実習しよう

※解答(例)は191〜192ページ

1) どんなときに，誤嚥と判断するか考えよう。
2) 誤嚥を発見したときの対応の手順を確認しよう。
3) 成人，妊婦，幼児，乳児において，それぞれ誤嚥時の処置を実習しよう。
4) どんなときに誤嚥を起こしやすいか考えてみよう。

課題 6　誤飲時の対応を様々な場合を想定して考えてみよう

ヒント
財団法人日本中毒情報センターにおいて中毒情報データベースを公開している。また実際に事故が発生した場合，中毒110番電話サービスにて情報提供が受けられる。

※解答(例)は193ページ

1) どんなときに，誤飲と判断するか考えよう。
2) 誤飲を発見したときの対応の手順を確認しよう。
3) 乳幼児において，誤飲時の処置を実習しよう。
4) どんなときに誤飲を起こしやすいか考えてみよう。

課題 7　外傷時の対応を様々な場合を想定して考えてみよう

※解答(例)は193ページ

1) 擦り傷
2) 切り傷
3) 出血があるとき
4) 口の中の傷
5) 鼻血
6) 出血が止まらないとき

課題8　火傷の処置を実習しよう

※解答(例)は193ページ

1) 指先の火傷
2) 服に火がついたとき
3) 熱風を吸い込んだとき

課題9　熱中症の予防と処置を実習しよう

※解答(例)は193ページ

〔予防〕
1) WBGT 21～25℃
2) WBGT 25～28℃
3) WBGT 28～31℃
4) WBGT 31℃以上

〔処置〕
1) 熱けいれん
2) 熱疲労
3) 熱射病

◆緊急連絡の手順，避難先を確認しておこう。
◆救急用品に何をそろえたらよいか考えてみよう。

第8章 | いざというときの応急処置について知ろう

解答は 193～194 ページ

第8章　おさらいテスト

問1　子どもの応急処置について，（　　　）に適当な語句を入れなさい。

①出血が続くときには傷口より心臓に，（　　　　　　）部分を（　　　　　　）する。
　止血が難しいときは傷口を圧迫しながら，足を心臓より（　　　　　　）する。

②頭部打撲直後に泣いてしばらく後元気になれば，そのまま様子をみる。その後，
　（　　　　　　）がないか，（　　　　　　）や（　　　　　　）の変化に注意する。

③火傷を負ったときは，まず（　　　　　　）で冷やすことが大切で，（　　　分）ほど
　（　　　　　　）がとれるまで冷やす。衣類を着ているときは，着たまま冷やす。
　焼けて皮膚が真っ黒になっているときや，（　　　　　　）に吸い込んでいるときには，すぐ
　に救急車を呼ぶ。

④乳児は手に取ったものを何でも口にもっていく習慣があり，（　　　　　　）の頻度が高い。
　最も多いものは（　　　　　　）である。大きなものを誤飲して（　　　　　　）のところに留
　まったときには，医療機関で除去してもらう。

⑤経口摂取していたものや嘔吐したものが，気道に入ることを（　　　　　　）といい，何かを
　食べているときに突然（　　　　　　），（　　　　　　）が聞こえたときに疑う。そのときに
　は，（　　　　　　）を叩いて誤嚥物の排出を促す。

⑥炎天下で運動を行うときや，乳幼児では過度の厚着や炎天下の車内に放置されたときに発
　症する熱性障害を（　　　　　　）という。意識があるときには，（　　　　　　）と身体を冷や
　して体温を下げるようにする。

問2　A項に最も関係の深い体位をB項から選び，（　　）に数字を書きなさい。

＜　A項　＞
ア（　　）　顔面蒼白，頭痛，脈拍が弱いとき
イ（　　）　呼吸困難・胸部痛があるとき
ウ（　　）　意識がないとき
エ（　　）　嘔吐，吐き気，腹痛があるとき
オ（　　）　出血があるとき

＜　B項　＞
①　足部を高くした仰臥位
②　頭部を高くした仰臥位
③　横向き膝屈曲位の側臥位
④　半うつ伏せ位の側臥位

⑤ 半坐位

⑥ 患部挙上位

問3 次の記述について，適切なものに○，適切でないものに×をつけなさい。

①（　　　）心肺蘇生における A, B, C とは心肺蘇生法の原則をいい，その内容は呼吸の確保，意識の判定，体温の保温を実施することを指す。

②（　　　）幼児の心肺蘇生術においては，3〜4秒間に1回人工呼吸し，5回胸骨圧迫を実施する。

③（　　　）乳幼児では，胸郭の構造が未熟なので，胸骨圧迫を実施することはひかえ，マウスツーマウスによる人工呼吸だけで蘇生をはかる。

問4 子どもの心肺蘇生法に関する次の記述について（　　　）に適切な語句を入れなさい。

A：Airway：気道確保：寝かせた状態で，首を少し（　　　　　　），前頭部を（　　　　　　）に押すと，喉頭から気管までが一直線になる。

B：Breathing：人工呼吸：呼吸が止まっているときには，（　　　　　　）の人工呼吸を行う。乳児の場合（　　　　　　と　　　　　　）の両方に息を吹き込む。子どもの場合，（　　　　　）をつまんで，（　　　　　）から息を吹き込む。人工呼吸は，（　　　　秒）に1回行う。

C：Circulation：胸骨圧迫：脈が触れないときには，子どもを固い床や板に移して胸骨圧迫を行う。幼児期前半までは（　　　　本）指で胸郭を圧迫する。幼児期後半からは（　　　　　）で行う。1分間に（　　　　回）程度行う。一人で人工呼吸も行う場合は胸骨圧迫を（　　　　回）に対し，2回人工呼吸を行う。

第9章

慢性疾患や障害をもつ
子どもの保育に
ついて知ろう

◆慢性疾患や障害をもつ子どもの保育や援助で留意することを理解する
◆アレルギー疾患の子どもへの対応を理解する
◆その他の慢性疾患の子どもへの対応を理解する
◆障害をもつ子どもの在宅支援や養護を理解する

A　慢性疾患や障害をもつ子どもの保育

　子どもにおいて，保育・教育の場で配慮が必要な**慢性疾患**や**障害**がいくつかあります。主なものに，未熟児で出生した場合や，アレルギー性疾患，神経・筋疾患，心臓疾患，内分泌疾患，泌尿器疾患，消化器疾患，呼吸器疾患，血液・腫瘍疾患，免疫疾患，肢体不自由，呼吸障害，嚥下障害，排泄障害，聴覚障害，視覚障害，精神遅滞，発達障害（広汎性発達障害，注意欠陥／多動性障害など），心身症などさまざまな疾患・障害がありますが，定期的な薬物投与や精神的ケアを含めて個々に応じた支援や配慮が必要です。

　また，障害や疾患があること以外でできる能力は最大限生かすことが大切です。子どもの場合，障害があっても発達していく過程で，可能性が広がっていく場合と逆に二次障害を起こしてしまう場合があります。二次障害とは，配慮が足りないことによって，本来の障害に追加して新たな障害を抱えることです。

　慢性疾患や障害があっても，健常児との統合保育や統合教育を行う機会も増えてきています。障害児にとっては，幅広い同世代の交流による成長が期待できるだけでなく，健常児にとってもさまざまな個性を経験し，交流の仕方を学ぶ機会にもなります。

　慢性疾患をもつ子どもは，長期の入院生活や通院をしなければならないことがしばしばありますが，発達途上の子どもにとっては，治療を受けるだけでなく，発達を促す遊びや学習が欠かせません。その援助を行うために，病児保育，病棟保育，院内学級などを行う場所が増えてきています。さらには，慢性疾患や障害をもつ子どもの家族の協力に対する配慮も大切で，保護者への支援や，きょうだいへの配慮も必要となります。

B　医療費などの援助

　子どもの医療費の援助は，医療費が公費負担となるもの，手当が支給されるものなどがありますが，いずれも対象者が住んでいる地域の役所に申請しなければなりません。

①子ども医療費助成制度
　市区町村で規定され，保護者の収入に応じて医療費の自己負担分の援助がある。

②小児慢性特定疾患治療研究事業
　児童福祉法で規定され，対象疾病の医療費の自己負担分の援助がある。18歳未満で申請ができ，20歳まで更新することができる。

③自立支援（育成医療）給付事業
　児童福祉法で，身体障害者への医学的処置の医療費の自己負担分の援助がある。

④特定疾患治療研究事業
　特定の難病に対し，医療費の自己負担分を公費負担する。

⑤特別児童扶養手当
　身体または精神に障害を有する20歳未満の児童に対する手当。

⑥障害児福祉手当

重度障害を持ち，常時特別の介護を必要とする在宅の 20 歳未満の者への手当。

C　子どもの在宅医療支援

　在宅医療とは，慢性的な疾病や障害があって継続した治療管理が必要ですが，患者自身あるいは家族の介護のもとに，家庭生活を送りながら進める医療です。医師の指導のもとに家庭で行う介護行為の種類は年々増えていますが，在宅医療を行う条件として，病状が安定していることや，家族や地域の支援システムが整っていることが重要です。在宅医療を行う子どもが増加するにつれ，学校においても看護職員の配置を条件に，口腔吸引，自己導尿の介助，経管栄養などの医療的ケアも，研修を受けた教職員の参加が認められるようになりました。保育園においても，障害児枠で医療的ケアが必要な子どもが入園することがあり，統合保育を行うことがあります。

D　低出生体重児・早産児で生まれた子どもの養護

　出生体重が 2,500 g 未満で生まれた新生児を低出生体重児，在胎 37 週未満で生まれた新生児を早産児といいます。低出生体重児や早産児の他に，身体機能が未熟な新生児を未熟児とよぶこともあります。

　低出生体重児の中でも，極低出生体重児は 1,500 g 未満の出生児，超低出生体重児は 1,000 g 未満の出生児のことを指します。早産児のなかでも在胎 28 週未満で生まれたときは超早産児といいます。早産児である場合は，早く生まれているほど合併症を起こしやすくなり，その後の発育，発達に影響します。

　低出生体重児や早産児の合併症として，呼吸器障害，未熟児網膜症，脳室内出血，貧血などがあります。それぞれ，予防や治療法の進歩により，後遺症として残ることが少なくなりましたが，その後の発育，発達支援が必要となる子どももいます。

　合併症がなかった子どもも，感染症に罹ったときに重症になることもあり，予防接種はできるだけ早めに接種します。予防接種がない RS ウイルス感染症では，36 週未満で生まれた子どもは，一定期間，RS ウイルス感染症が重症化しないための抗体（シナジス®）を 1 か月ごとに接種することができます。

　合併症がなく，順調に発育している子どもは，追いつき成長が見られますので，それまでは，個別に発達に応じた配慮をしていくことが大切です。

E　アレルギー性疾患をもつ子どもの養護

　アレルギーとは，免疫反応が人体に不利に働いた場合をいいます。人体に不利な作用を起こす原因となるものをアレルゲンといいます。遺伝的体質や環境により影響を受けます。年齢や季節によって症状が変化したり，いろいろなアレルギー性疾患を繰り返したり

<参考様式>

保育所におけるアレルギー疾患生活管理指導表（気管支喘息・アトピー性皮膚炎・アレルギー性結膜炎）　提出日　平成＿＿年＿＿月＿＿日

名前＿＿＿＿＿＿＿＿＿＿男・女　平成＿＿年＿＿月＿＿日生（＿＿歳＿＿ヶ月）＿＿＿＿＿組

この生活管理指導表は保育所の生活において特別な配慮や管理が必要となった場合に限って作成するものです。

気管支喘息（あり・なし）

病型・治療

A. 重症度分類（治療内容を考慮した）
1. 間欠型
2. 軽症持続型
3. 中等症持続型
4. 重症持続型

B. 長期管理薬
1. ステロイド吸入薬
剤形：
投与量（日）：
2. ロイコトリエン受容体拮抗薬
3. DSCG吸入薬
4. ベータ刺激薬
内服
貼付薬
5. その他
（　　　）

C. 急性発作治療薬
1. ベータ刺激薬吸入
2. ベータ刺激薬内服
3. その他

D. 急性発作時の対応（自由記載）

保育所での生活上の留意点

A. 寝具に関する留意点
1. とくになし（通常管理のみ）
2. 防ダニシーツ等の使用
3. 保護者と相談

B. 食物に関する留意点
1. とくになし
2. 食物アレルギー管理指導表参照

C. 動物との接触
1. 配慮不要
2. 保護者と相談し決定
3. 動物への反応が強いため不可
動物名（　　　）

D. 外遊び、運動に対する配慮
1. とくになし
2. 保護者と相談し決定

【緊急連絡先】
★保護者
電話：
★連絡医療機関
医療機関名：
電話：

記載日　　年　　月　　日
医師名
医療機関名

アトピー性皮膚炎（あり・なし）

病型・治療

A. 重症度のめやす（厚生労働科学研究班）
1. 軽症：面積に関わらず、軽度の皮疹のみみられる。
2. 中等症：強い炎症を伴う皮疹が体表面積の10%未満にみられる。
3. 重症：強い炎症を伴う皮疹が体表面積の10%以上、30%未満にみられる。
4. 最重症：強い炎症を伴う皮疹が体表面積の30%以上にみられる。
※軽度の皮疹：軽度の紅斑、乾燥、落屑主体の病変
※強い炎症を伴う皮疹：紅斑、丘疹、びらん、浸潤、苔癬化などを伴う病変

B−1. 常用する外用薬
1. ステロイド軟膏
2. タクロリムス軟膏（「プロトピック」）
3. 保湿剤
4. その他（

B−2. 常用する内服薬
1. 抗ヒスタミン薬
2. その他（　）

C. 食物アレルギーの合併
1. あり
2. なし

保育所での生活上の留意点

A. プール・水遊び及び長時間の紫外線下での活動
1. 管理不要
2. 保護者と相談し決定

B. 動物との接触
1. 配慮不要
2. 保護者と相談し決定
3. 動物へのアレルギーが強いため不可
動物名（　　　）

C. 発汗後
1. 配慮不要
2. 保護者と相談し決定
3. 夏季シャワー浴（施設で可能な場合）

D. その他の配慮・管理事項
（自由記載）

記載日　　年　　月　　日
医師名
医療機関名

アレルギー性結膜炎（あり・なし）

病型・治療

A. 病型
1. 通年性アレルギー性結膜炎
2. 季節性アレルギー性結膜炎（花粉症）
3. 春季カタル
4. アトピー性角結膜炎
5. その他（　　　）

B. 治療
1. 抗アレルギー点眼薬
2. ステロイド点眼薬
3. 免疫抑制点眼薬
4. その他（　　　）

保育所での生活上の留意点

A. プール指導
1. 管理不要
2. 保護者と相談し決定
3. プールへの入水不可

B. 屋外活動
1. 管理不要
2. 保護者と相談し決定

C. その他の配慮・管理事項（自由記載）

記載日　　年　　月　　日
医師名
医療機関名

この生活管理指導表は、地域独自の取り組みや現場からの意見を踏まえ、今後改善していくことを考えております。

<参考様式>

保育所におけるアレルギー疾患生活管理指導表（食物アレルギー・アナフィラキシー・アレルギー性鼻炎）　提出日　平成＿＿年＿＿月＿＿日

名前＿＿＿＿＿＿＿＿＿＿男・女　平成＿＿年＿＿月＿＿日生（＿＿歳＿＿ヶ月）＿＿＿＿＿組

この生活管理指導表は保育所の生活において特別な配慮や管理が必要となった場合に限って作成するものです。

食物アレルギー（あり・なし）　アナフィラキシー（あり・なし）

病型・治療

A. 食物アレルギー病型（食物アレルギーありの場合のみ記載）
1. 食物アレルギーの関与する乳児アトピー性皮膚炎
2. 即時型
3. その他　（新生児消化器症状・口腔アレルギー症候群・
食物依存性運動誘発アナフィラキシー・その他：　　　）

B. アナフィラキシー病型（アナフィラキシーの既往ありの場合のみ記載）
1. 食物　（原因：　　　）
2. その他　（医薬品・食物依存性運動誘発アナフィラキシー・ラテックスアレルギー・　　　）

C. 原因食物・除去根拠　該当する食品の番号に○をし、かつ《　》内に除去根拠を記載
1. 鶏卵　《　》
2. 牛乳・乳製品　《　》
3. 小麦　《　》
4. ソバ　《　》
5. ピーナッツ　《　》
6. 大豆　《　》
7. ゴマ　《　》
8. ナッツ類*　《　》　（すべて・クルミ・アーモンド・　　　）
9. 甲殻類*　《　》　（すべて・エビ・カニ・　　　）
10. 軟体類・貝類*　《　》　（すべて・イカ・タコ・ホタテ・アサリ・　　　）
11. 魚卵　《　》　（すべて・イクラ・タラコ・　　　）
12. 魚類*　《　》　（すべて・サバ・サケ・　　　）
13. 肉類*　《　》　（鶏肉・牛肉・豚肉・　　　）
14. 果物類*　《　》　（キウイ・バナナ・　　　）
15. その他　（　　　）
「*類は（　）の中の該当する項目に○をするか具体的に記載すること」

[除去根拠] 該当するもの全てを《》内に番号を記載
①明らかな症状の既往
②食物負荷試験陽性
③IgE抗体等検査結果陽性
④未摂取

D. 緊急時に備えた処方薬
1. 内服薬　（抗ヒスタミン薬、ステロイド薬）
2. アドレナリン自己注射薬「エピペン®0.15mg」
3. その他（　　　）

保育所での生活上の留意点

A. 給食・離乳食
1. 管理不要
2. 保護者と相談し決定

B. アレルギー用調整粉乳
1. 不要
2. 必要　下記該当ミルクに○、又は（　）内に記入
ミルフィー・ニューMA-1・MA-mi・ペプディエット
エレメンタルフォーミュラ
その他（　　　）

C. 食物・食材を扱う活動
1. 管理不要
2. 保護者と相談し決定

D. 除去食品で摂取不可能なもの
病型・治療のCで除去の際に摂取不可能なものに○
1. 鶏卵：　卵殻カルシウム
2. 牛乳・乳製品：　乳糖
3. 小麦：　醤油・酢・麦茶
5. 大豆：　大豆油・醤油・味噌
6. ゴマ：　ゴマ油
11. 魚類：　かつおだし・いりこだし
12. 肉類：　エキス

E. その他の配慮・管理事項

【緊急連絡先】
★保護者
電話：
★連絡医療機関
医療機関名：
電話：

記載日　　年　　月　　日
医師名
医療機関名

アレルギー性鼻炎（あり・なし）

病型・治療

A. 病型　1. 通年性アレルギー性鼻炎
2. 季節性アレルギー性鼻炎
主な症状の時期：　春、夏、秋、冬

B. 治療　1. 抗ヒスタミン薬・抗アレルギー薬（内服）
2. 鼻噴霧用ステロイド薬
3. その他

保育所での生活上の留意点

A. 屋外活動
1. 管理不要
2. 保護者と相談し決定

B. その他の配慮・管理事項（自由記載）

記載日　　年　　月　　日
医師名
医療機関名

この生活管理指導表は、地域独自の取り組みや現場からの意見を踏まえ、今後改善していくことを考えております。

図 1 ●生活管理指導表

（厚生労働省：保育所におけるアレルギー対応ガイドライン．2011（http://www.mhlw.go.jp/bunya/kodomo/pdf/hoik u03.pdf〔閲覧日：2019.1.11〕））

します。アレルギー疾患生活管理指導表（**図 1**）などをもとに，対応を共通理解する体制づくりが必要です。

1）食物アレルギー

ある特定の食品を食べると，食べた後に，嘔吐，下痢などの腹部症状やじんま疹などの皮膚症状が出ることです。主なアレルゲンとしては，鶏卵，牛乳，小麦，そば，甲殻類などがあります（**図 2，図 3**）。食物アレルギーを疑ったときには医療機関で検査を受け，

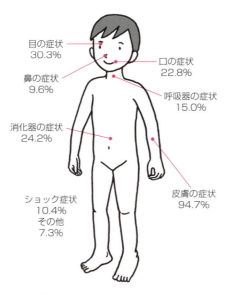

図2●食物アレルギーの症状
(東京都健康安全研究センター：アレルギー疾患に関する3歳児全都調査(平成26年度)報告書. 2015(http://www.fukushihoken.metro.tokyo.jp/allergy/pdf/res_a06.pdf〔閲覧日：2019.1.11〕))

その診断をもとに，アレルゲンとなる食物を除去したり，再開する時期について指導を受けます。除去食を行うときには，加工品に含まれる食品についても注意が必要です。また，成長期の子どもでは，除去した食べ物に代わる栄養(代替食)についても配慮が必要です(**表1**)。

2) アトピー性皮膚炎

乳幼児期に湿疹から始まり，皮膚がかさかさになり，かゆみを伴うようになる皮膚炎です。子どもの場合，皮膚を掻き壊して，とびひを合併したりすることがありますので，注意が必要です(**図4**)。皮膚を清潔にし，保湿薬や非ステロイド系抗炎症薬，ステロイド薬などの塗り薬を症状別に使い分けます。

3) 気管支喘息

アレルギー反応により，気管支の平滑筋が収縮し，気道が狭窄することにより呼気が延長し，呼吸困難となった状態を気管支喘息の発作といいます。**アレルゲン**は，**ハウスダスト**や**ダニ**などの吸入抗原が多く(**表2**)，発作が起きたときには，水分をとらせ，腹式呼吸をさせるようにします。水分が飲めなくなったり，苦しそうな咳や呼吸が続くときには，起坐位にし医療機関で吸入や点滴などの治療を受けます。

発作が起きていないときの普段の生活も大切で，生活環境から，アレルゲンとなるハウスダスト，ダニなどをできるだけ取り除き，ほこりを吸収するものは周囲におかないようにし，じゅうたんやぬいぐるみなどはなるべく避けるようにします。動物や観葉植物を屋内に置かないようにします。また，腹筋や皮膚を鍛えるようにし，息を吐き出す練習として，笛を吹いたり，**ピークフローメーター**を用いて自分の息を吐き出す力を記録したりし

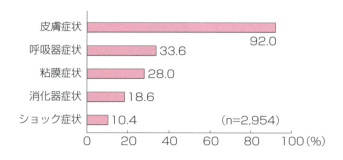

	0歳(884)	1歳(317)	2, 3歳(173)	4～6歳(109)	7～19歳(123)	≧20歳(100)
1	鶏卵 57.6%	鶏卵 39.1%	魚卵 20.2%	果物 16.5%	甲殻類 17.1%	小麦 38.0%
2	牛乳 24.3%	魚卵 12.9%	鶏卵 13.9%	鶏卵 15.6%	果物 13.0%	魚類 13.0%
3	小麦 12.7%	牛乳 10.1%	ピーナッツ 11.6%	ピーナッツ 11.0%	鶏卵 小麦 9.8%	甲殻類 10.0%
4		ピーナッツ 7.9%	ナッツ類 11.0%	ソバ 魚卵 9.2%		果物 7.0%
5		果物 6.0%	果物 8.7%		ソバ 8.9%	

(n = 1,706)

図3● 食物アレルギーの症状と年齢別原因食物
(今井孝成，他：消費者庁「食物アレルギーに関連する食品表示に関する調査研究事業」平成23年即時型食物アレルギー全国モニタリング調査結果報告．アレルギー，2016：65；942-946(https://www.jstage.jst.go.jp/article/arerugi/65/7/65_942/_pdf/-char/ja〔閲覧日：2019.1.11〕))

表1● 保育所・幼稚園におけるアレルギー対応食の提供の1日の流れ

作業に入る前に確認すること（朝の打ち合わせ）	● アレルギー対応食を提供する子どもが登園しているかを確認する ● 献立を確認する(注意する食材，作業する順番など)
仕込みをするときに注意すること	● アレルギー対応食の食材は最初に仕込む ● アレルギー対応食の食材と他の食材は別々に保管する ● 調理器具はよく洗い，消毒する ● アレルギーの原因となる食品のゆで汁やもどし汁等は，他の食材につかないよう注意する
調理のときに注意すること	● アレルギー対応食は最初に調理する ● 使い捨て手袋は作業ごとに取り替える ● 油は，常に新しい物を使用する ● 調理器具はよく洗い，消毒する
盛りつけのときに注意すること	● 作業をするときは周囲を整理整頓する ● アレルギー対応食は最初に盛りつける ● アレルギー対応食専用の食器を使用する ● 盛りつけたらすぐにラップをして名前を記入する ● 朝礼の内容と食事の内容が合っているかを確認する
配膳のときに注意すること	● アレルギー対応食の献立と合っているか確認する ● 必ず担当の先生に渡す(子どもに渡してはいけない) ● 担当の先生の名前と渡した時間を確認する(帳簿に記入)

(シダックス株式会社：アレルギー食の手引き(保育園・幼稚園用)より引用一部改変)

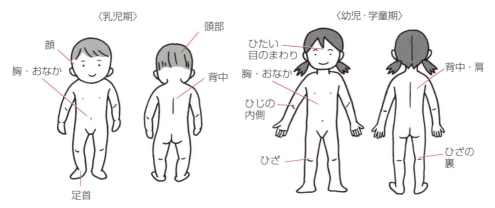

生後1〜3か月頃から主に顔や頭部に赤い発疹が出てかゆがる（あせもや乳児脂漏性湿疹と間違えないようにする）

図4 ●アトピー性皮膚炎の出やすいところ

表2 ●保育所・幼稚園で発作を起こす原因と注意を要する場面

発作を起こす原因		注意を要する場面	
		日常	行事
吸入アレルゲン	ダニ，ハウスダスト，カビ，動物の毛やフケ，花粉など	昼寝，掃除など	お泊まり会等での枕投げ，飼育当番など
食物アレルゲン	卵，牛乳，小麦，そば，甲殻類，果物など	おやつ，給食など	お泊まり会等での食事，体験学習（そば作り）など
スポーツ	陸上スポーツ（ランニング）など	運動遊びの時間，運動の時間など	運動会など
季節の変わり目 天候・温度変化	季節の変わり目，梅雨や台風，冷たい空気など	冬場の運動遊びや運動など	運動会など
においや煙	花火，スプレー，芳香剤など	手洗い場，トイレなど	花火など
ストレス・過労	友人関係，受験，転園など	園での生活全般	
呼吸器感染	かぜ，インフルエンザなど	園での生活全般	

（環境省・文部科学省（監）：ぜん息をもつ児童生徒の健康管理マニュアルより一部改変）

ます（図5）。

4）花粉症

くしゃみ，鼻水などのアレルギー性鼻炎の症状や，眼がかゆくなる，涙が出るなどのアレルギー性結膜炎をしばしば伴います。アレルゲンはスギ，ヒノキなどの花粉が飛散する春先が多いですが，ヨモギやブタクサなど秋から初冬にかけて飛散する草花も多くなっていますので注意が必要です。年長になってから突然発症することが多いですが，最近は，発症が低年齢化しています。症状を和らげるために，点鼻薬や点眼薬，飲み薬がありますが，外出から帰宅したときには，うがいや手洗いも大切です。また，マスクや花粉がつきにくい素材の衣類などを使用し，部屋の中へ花粉を持ちこまないように工夫します。

5）アナフィラキシー（131ページも参照）

アレルギー反応のうち，最も重症のもので，食物アレルギーで起こすことが多いですが，蜂などに刺されたときにも起こすことがあります。アナフィラキシーを疑ったときに

大きく息を吸いこんで　　　　　思いきり吐き出す

図5 ●ピークフローメーターで呼吸機能を知る

立ったまま深呼吸をしてメーターを口にくわえ，唇でマウスピースをしっかり包み，できるだけ早く吹いてPEF(peak expiratory flow)値を測定する。また，「喘息日誌」(日常の症状や服薬情報を記録しておく)に朝晩，PEF値を記録しておくと治療薬を増減するなど治療に役立つ。

は，原因物質を取り除くため，食物のときは口をゆすぎ，皮膚や目についているときは洗い流し，蜂などに刺されたときは針を取り除き，急いで救急病院に連れて行きます。経口薬を処方されているときは飲ませ，アドレナリンの注射製剤(エピペン®)を処方されているときは施設で預かることもあります。エピペン®は，体重が15〜30kg用と30kg以上用と2種類あり，保護者から緊急時に使用することを依頼された時は，依頼を受けた子どもにのみ使用し，使用後は救急病院に連れて行き，また補充しておく必要があります。アナフィラキシーの症状の程度によって，グレード1〜3に分けられ(表3)，対応を変えていかなければならないので，症状が落ち着くまで，慎重に観察します。

F　神経・筋疾患をもつ子どもの養護

1) 脳性麻痺

脳性麻痺とは胎児期や周産期の原因による大脳の非進行性病変により，運動障害をきた

Column　喘息治療薬

喘息の治療薬として，長期管理薬(コントローラー)があります。アレルギー反応に対する作用を抑えるための薬で，主なものにクロモグリク酸ナトリウム(インタール®)，経口抗アレルギー薬，吸入ステロイド，テオフィリン徐放製剤，β_2刺激薬があります。喘息のタイプや症状によって医師により処方されます。特に，薬剤を霧状にして直接肺に吸入するネブライザー式(ネブライザーと呼ぶ機器がチューブでつながっている)や，加圧し粉末状にした薬をスペーサー(吸入補助器)を使って吸入する吸入療法も行われます。いずれも吸入器の適応薬剤や使用方法は異なりますので，主治医とよく相談することが大切です。

表3 ●アナフィラキシーのグレード

グレード		1	2	3
皮膚症状	赤み・じんま疹	部分的，散在性	全身性	
	かゆみ	軽度のかゆみ	強いかゆみ	
粘膜症状	口唇，目，顔の腫れ	口唇，まぶたの腫れ	顔全体の腫れ	
	口，喉の違和感	口，喉のかゆみ，違和感	飲み込みづらい	喉や胸が強く締めつけられる，声枯れ
消化器症状	腹痛	弱い腹痛（がまんできる）	明らかな腹痛	強い腹痛（がまんできない）
	嘔吐・下痢	嘔気，単回の嘔吐，下痢	複数回の嘔吐，下痢	繰り返す嘔吐，下痢
呼吸器症状	鼻水，鼻づまり，くしゃみ	あり		
	咳（せき）	弱く連続しない咳	ときどき連続する咳，咳込み	強い咳込み，犬の遠吠え様の咳
	喘鳴，呼吸困難		補聴器で聞こえる弱い喘鳴	明らかな喘鳴，呼吸困難，チアノーゼ
全身症状	血圧低下			あり
	意識状態	やや元気がない	明らかに元気がない，横になりたがる	ぐったり，意識低下～消失，失禁
対応	抗ヒスタミン薬	○	○	
	ステロイド	△	△	△
	気管支拡張薬吸入	△	△	△
	エピペン®	×	△	○
	医療機関受診	△	○（応じて救急車）	◎（救急車）

＊上記対応は基本原則で最小限の方法である。状況にあわせて現場で臨機応変に対応することが求められる。
＊症状は一例であり，その他の症状で判断に迷う場合は中等症以上の対応を行う。
（厚生労働省：保育所におけるアレルギー対応ガイドライン．2011：7-57（http://www.mhlw.go.jp/bunya/kodomo/pdf/hoiku03.pdf〔閲覧日：2019.1.11〕））

したものをいいます。症状としては，**筋緊張の異常，姿勢の異常，言語障害，けいれん**などがあります。精神遅滞は伴う場合と伴わない場合があります。大脳に残った病変により，症状が多様で介護や援助の仕方が異なります。子どもの場合，大脳の病変が変わらなくても，発達や援助の仕方で，病態や体の動きも異なってきます。

2）てんかん

てんかんは発作的に，**けいれん，意識障害，精神症状**などを反復して起こすもので，脳に受けた外傷や腫瘍などの病変後に起こるものもあれば，原因不明のこともあります。発作があり，脳波に発作波が認められれば抗けいれん薬を服用します。服用によって，けいれん発作がおさえられていれば，日常生活に特に制限は必要はありません。

G 肢体不自由児の養護

肢体不自由児の原因には，脳性麻痺のほかに，神経疾患，筋疾患，整形外科的な疾患が

あります。歩行は可能だが困難を伴う場合，片麻痺の場合，下肢が動かない場合，姿勢の保持が難しい場合など，さまざまな障害の程度があります。それぞれの障害に応じて，支援や配慮しなければならないことが異なりますが，現在持っている能力を最大限に生かし，なおかつ傷害などによる二次的障害を生み出さないようにすることが大切です。特に，自分で移動や運動が困難な子どもの場合，正しい**姿勢の保持**が大切で，骨や関節の変形，拘縮が進行しないように注意する必要があります。また，着替えやオムツ替えのときに，簡単に脱臼や骨折を起こすこともあります。洋服の着替えでは，なるべく前あきのものを用い，下着と上着の袖をあらかじめ通しておくようにし，脱がせるときには，動きのよいほうから脱がせ，着せるときには，動きの悪いほうから着せるようにします。寝たきりの子どもの場合は，同じところが床に接触していることが続くと，皮膚に**褥瘡**(床ずれ)ができることがあります。予防するためには，一定時間で体位を変換し，皮膚を清潔にして時々マッサージすることや，皮膚が変色したり，赤くなっているところがないかよく観察し，気になるところが見つかったときには早めに治療をします。

　食べる機能に障害のある子どもへの食事介助では，特に姿勢に注意します。いすに坐らせたり，抱っこしたりして介助します。その場合，首・身体・腰が正面を向き，上体を起こし，身体と床との角度を45°とし，首はやや前屈，頭と床が直角になるようにします。

　食材は，嚥下機能にあわせた形状にします。水分のほうが誤嚥しやすいので，水分と固形物は別々に食べさせるようにし，1口ずつ口に入れます。むせやすい場合は，水分にとろみ調整食品を用います。

H　呼吸障害児の養護

　脳性麻痺や，神経疾患，喉頭部の動きが悪い場合，痰を自分で出すことがうまくできないときには，定期的に**鼻腔吸引**，**口腔吸引**が必要になります。食べたときに**誤嚥**をする可能性があるときには，気管切開をして(図6)，気管吸引を定期的に行います。吸引器にカテーテルを接続し，痰や唾液，鼻汁を吸引しますが，カテーテルを挿入しているときには，先端が粘膜のところにはりつかないように，吸引器の圧が伝わらないようにし，吸引したいところまで，挿入してから吸引圧をかけるようにします。また，感染を予防するため，手洗いをきちんとしてから行い，吸引をするたびに，清潔な蒸留水でカテーテルの内腔を洗浄するようにします(図7)。

　呼吸障害や心疾患で酸素が足りない状態のときには，**酸素療法**を行います。酸素マスクと鼻腔カニューレで酸素を投与しますが，子どもの場合，自分ではずしてしまうこともあるので，十分な酸素を吸っているか確認する必要があります。慢性疾患の場合，酸素供給装置を自宅に置いて，**在宅酸素療法**を行うこともあります。このとき，酸素が出ている近くでは，発火の危険があるものは使用しないように注意します。また，マスクやカニューレがずれていたり，チューブを圧迫したりすると，十分な酸素が行かなくなりますので，寝ているときには，時々気をつけて確認します。

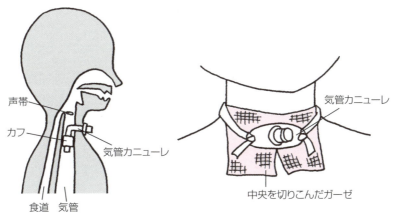

図6 ● 気管切開とカニューレの固定

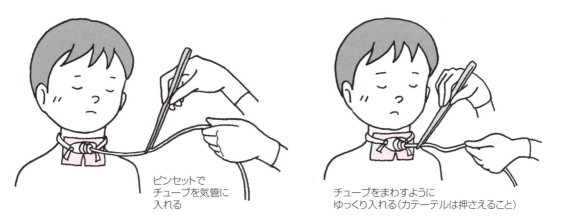

図7 ● 痰の吸引

I 先天性心疾患をもつ子どもの養護

　母体内で妊娠初期に障害が起きると先天性心疾患となります。最も多いのは**心室中隔欠損症**で，これは自然閉鎖のこともありますが，心不全になると手術を行わなければなりません。心不全があるときには，水分制限をしたり，利尿薬を飲んだりしますが，根治手術をして症状が改善すれば通常の生活で大丈夫です。全身に酸素が十分行かないチアノーゼ型心疾患では，泣いたり，動き回ったりするとチアノーゼが悪化することがありますが，そのときは，落ち着くまで，うずくまる姿勢にします。夏場は暑くなると体調が悪くなるので，室温に注意します。疾患により，運動制限をする必要があるかどうか，主治医に診断書を作成してもらいます。

J　泌尿器疾患をもつ子どもの養護

1）糸球体腎炎

　溶連菌感染後，血尿，蛋白尿，高血圧が認められる疾患です。急性期に乏尿が認められるときには安静にします。

2）ネフローゼ症候群

　高度の浮腫，高度の蛋白尿を認める疾患で多くは原因不明です。治療では，ステロイド薬を長期に投与し，また，感染しやすい傾向がありますので，集団生活で配慮が必要になることがあります。

3）血管性紫斑病（アレルギー性紫斑病）

　血小板や凝固因子の減少は認めず，血管病変により紫斑が出現する疾患です。血便や浮腫を認めることもあります。安静にしていると1か月以内に回復しますが，腎炎を合併したときには慢性腎炎が後遺症として残ることがあります。

K　血液疾患をもつ子どもの養護

1）貧血

　貧血とは，赤血球の総量が減ることで，主な原因として，赤血球の産生障害や出血などがあり，鉄の欠乏による産生障害である鉄欠乏性貧血が最も多いです。乳児では未熟児で生まれたときや，離乳食が順調に進まなかったときに，思春期の女子では生理が不規則なときにしばしば認められます。

2）血友病

　先天的に凝固因子が欠乏している病気で，遺伝性で男の子に発症します。運動量の増加に伴って，関節内や筋肉内に出血が起こりやすいため，定期的に凝固因子の補充を行います。血管内に投与しなければならないので，幼少時には処置が難しいですが，家族が投与できるようになると，早めに補充し，運動をできるだけ控えないようにします。

3）血小板減少性紫斑病

　何らかの原因で血小板を破壊する抗体ができて，血小板が減少し，出血斑や紫斑を生じます。子どもの場合は急性型が多く，6か月以内に治ることが多いですが，慢性型となって，治療を続けなければならないときもあります。出血しやすいときには，転んで頭などを打ったりしないように環境に気をつけます。

L　内分泌疾患（糖尿病）をもつ子どもの養護

1）糖尿病

　子どもに多いⅠ型の糖尿病は，生活習慣が原因の大人のⅡ型の糖尿病と異なり，生活習慣とは関係なく，**インスリン**が欠如しているので，定期的にインスリンを皮下注射しない

と高血糖になってしまいます。年長児より，自己注射の指導を行いますが，集団生活をしているときには，落ち着いて注射できる保健室などの場所を提供し，手洗いをして清潔に注射できるように配慮します。インスリンの皮下注射を行っている場合には，ときに低血糖になって，顔色が悪くなって倒れてしまうことがあります。そのときには，早めにジュースを飲ませるか，ビスケットや飴を食べさせます。他の子どもには，健康のために飲ませたり食べさせたりする必要があることをあらかじめ説明して，誤解を受けないような配慮をしておきます。

2）下垂体性小人症

発育曲線で3パーセンタイル未満または，−2sd 未満の低身長のときには，その原因を医療機関で調べる必要があります。成長ホルモンの分泌不全が原因のときには，成長ホルモンを毎日注射することがあります。低身長だけで，その他の発育や発達には問題がないことが多いので，負い目に感じないような配慮が必要です。

3）性的マイノリティー

LGBT は，同性愛者，両性愛者，性別違和（性同一性障害）のことですが，それ以外の無性愛者や性分化異常の半陰陽（インターセックス）の性的少数者の場合，性ホルモンによる治療を受けたりすることがあります。集団で受け入れることが難しい場所では，精神的なストレスと感じることも多く，特に子どものころからの配慮が大切です。

M　悪性腫瘍（悪性新生物）をもつ子どもの養護

子どもの死因として，先天異常や事故と並んで上位にある疾患です。子どもの悪性腫瘍は，成人の悪性腫瘍と比べ，最近の医療の進歩によって，根治できる可能性が高くなっていますが，治療が長期にわたるため，成長や学業，後遺症，家族への配慮が必要です。治療をしながら，学校などで，集団生活をする場合は，免疫低下によって感染しやすくなることがありますので，感染の可能性が高い疾患が発生したときには，早めに保護者に連絡します。また，日光にあたると，皮膚症状が悪化する可能性がある場合は，屋外での活動を制限することもあります。治療が終了しているときには，日常生活の制限は特に必要ないでしょう。治療の副作用で脱毛や，体型の変化があるときもあり，周囲の人からの不用意な言葉で傷つくことがないよう配慮する必要があります。また，最近は，子どもに病名を知らせる場合もありますが，病名を知らされていないこともありますので，本人やきょうだい，友人に対しても細心の配慮が必要です。

N　視覚障害児の養護

視覚障害には，視力障害のほかに視野障害や片眼のみの障害もあり，また視力障害も全盲から弱視までさまざまあり，配慮の仕方も異なります。また，出生時からの障害か中途障害かによっても異なります。弱視者の場合は，拡大鏡を使ったりすれば，普通学級で学

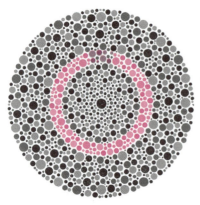

図8 ● 石原色覚検査表Ⅱ
リングの切れ目の部位を答えてもらう。なお，実際の検査表はカラーであり，この転載図は色覚検査に使用できない。（石原色覚検査表Ⅱ．半田屋商店，2013，著作権を有する 公益財団法人 一新会から許可を受けて転載）

表4 ● 認別しにくい配色

1型色覚	2型色覚			
		赤	緑	
		オレンジ	黄緑	
		緑	茶	
		青	紫	
		ピンク	白	灰
		緑	灰	黒
		赤	黒	
		ピンク	青	

習できることもありますが，どの程度日常生活で見えるか周囲の理解が十分でないと，行動が消極的になってしまうこともあります。明るいところでは見えても，暗くなるとはっきりしない場合や，視野障害や片眼障害の場合，視線が異常に見えてしまったり，遠近感覚をつかめず，障害物につまずいてしまうことがあったりします。全盲の場合でも身のまわりの日常生活が自分でできるように健常者が誘導することが大切です。

　視覚障害には色の判別に障害のある色覚異常もあり，色覚の種類により分類されます。最も多いのは**赤緑色覚異常**です（図8，表4）。
● 1型2色覚：青／緑と赤／緑を識別しにくい
● 2型2色覚：赤／紫と緑／紫を識別しにくい

　色覚異常は，日常生活ではほとんど問題のないことが多いですが，グラフなどの図を提示する場合は，明暗や線の形，色の塗り方など色以外の情報も使って説明する工夫が必要です。

O　聴覚障害児の養護

　聴覚障害では補聴器で音を聞くことができる場合と，全く音がわからない障害，また出生時からの障害か，中途からの障害かによって対応の仕方が異なります。聴覚障害がある場合は，聴覚以外のコミュニケーションの仕方，たとえば手話や指文字筆談など，個々に応じたコミュニケーションの手段を配慮する必要があります。

P　発達障害児の養護

　発達障害とは，さまざまな原因による脳の機能障害で，乳幼児期にその症状があらわれ

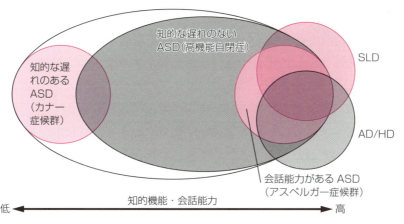

図9 ● 発達障害とは
AD/HD：注意欠如多動症　ASD：自閉スペクトラム症　SLD：限局性学習症

るものです(図9)。ただし，医学的観点か福祉的観点かで，定義に含まれる障害の範囲に多少の違いがあります。

　医学的には，知的障害，行動障害，情緒障害，身体的障害，広汎性発達障害，特異的発達障害など広範囲な障害が含まれますが，2005年に施行された発達障害者支援法では，身体障害，知的障害，精神障害を除いた「自閉症，アスペルガー症候群その他の広汎性発達障害，その他これに類する脳機能の障害であってその症状が通常低年齢において発現するもの」となっています。この中で，知的障害を伴わない発達障害は「軽度発達障害」とよばれていましたが，2007年からは，知的障害の有無にかかわらず「発達障害」とよぶようになりました。2016年の法改正で，乳幼児期から高齢期まで切れ目のない支援を行い，教育・福祉・医療・労働などが緊密に連携することになりました。今後，保育所，幼稚園，小学校での支援は連続的に行う必要性が求められます。

1）知的障害

　医学的には，精神遅滞(MR：Mental Retardation)とよばれ，明らかに平均以下の全般的な知的遅れがあり，発達期の18歳未満に発症したものとし，適応行動が年齢基準より明らかに低いことです。原因疾患はさまざまなため，それぞれの遅れにあわせた対応が必要です。知能指数(IQ)が70以下であることが診断基準となっていますが，その後の教育で社会生活指数(SQ)を上げることができます。

2）自閉スペクトラム症，自閉症スペクトラム障害(ASD：Autistic Spectrum Disorder)

　広汎性発達障害(PDD：pervasive developmental disorders)ともよばれていた障害で，脳の機能性障害に基づき，自閉症とアスペルガー症候群，その他に分けられていましたが，自閉傾向を連続的に特徴としてもつことより，現在は自閉スペクトラム症と統一されました。対人関係の形成が難しい「社会性の障害」，ことばの発達に遅れがある「言語コミュニケーションの障害」，想像力や柔軟性が乏しく，変化を嫌う「想像力の障害」を特徴とします。いわゆる自閉症は，カナー症候群とも言われ，知的障害を伴うことが多く，視

線をあわせることができず，1つの物や行為に極端にこだわる常同的な反復があります。3歳くらいまでに，言葉の遅れで気づかれます。医療機関へは言語の発達の遅れで受診することが多く，聴力障害や知的障害と鑑別する必要があります。自閉症と類似疾患のアスペルガー症候群またはアスペルガー障害では，言語の遅れ，知的発達の遅れはありませんが，社会的関係形成の困難さが認められます。自閉スペクトラム症では，作業手順を言葉ではなく絵や写真で示すようにし，パニックに陥ったときには気持ちが落ち着ける空間を用意します。また，知覚過敏があることが多く，不快な音や触られ方があるので，一人ひとりの特性をよく知っておくことが大切です。自閉スペクトラム症では，空間，手順，時間を整理して順序だてて行う環境の「構造化」が大切です（図10）。

〈空間の「構造化」〉

更衣室

図書室

プレイルーム

教室

場所に意味付けをし，その意味をシンボルカードにして示す
（「○○する場所」というルールを設ける）

〈手順の「構造化」〉

作業をする際の手順，トイレの使い方や入浴の手順等，さまざまな動作を細かい段階に分けて示した手順書を提示する

〈時間の「構造化」〉

1日のスケジュール（時間割），1週間のスケジュール（曜日ごと），1か月のスケジュールを決めておき，提示する

図10 ● 発達障害児に対する構造化

3）注意欠如多動症（AD/HD：Attention Deficit/Hyperactivity Disorder）

以前，注意欠陥／多動性障害（AD/HD）ともよばれ，年齢あるいは発達に不釣り合いな，多動性，不注意，衝動性で特徴づけられる発達障害です。AD/HD は集団における同調行動が苦手なため，学校生活で問題となって自尊感情を傷つけられることによる二次障害が起こらないように配慮する必要があります。薬物療法のほかに，しつけを系統的に行う行動療法や環境整備が大切です。

4）限局性学習症（Specific Learning Disorder）

以前，学習障害（LD）ともよばれ，知的発達の遅れはないものの，聞く，話す，読む，書く，計算する，推論する能力のいずれかに困難がある状態です。脳の機能性障害によるものと思われますが，学校教育での個別的な配慮が必要となります。

Q　心身症のある子どもの養護

身体異常がありながら，身体の治療だけでなく，心理的問題や生活上の問題も対応しないと治らない病気のことです。学童期や思春期に出やすいですが，就学前でも見られることがあります。子どもの場合は，成長発達期であるため，心理的ストレスが心身両面に影響しやすいです。

1）チック

心因性に出現するくせで，まばたき，首を振る，咳払い，鼻をならす，顔をしかめるなどの動作を反復して行います。緊張したり，注意すると，激しくなるので，安心させながら見守ることが大切です。

2）神経性頻尿

トイレに何回も行く頻尿がありますが，尿量は多くなく，排尿痛もなく，夢中になることがあったり，夜間には頻尿は見られません。時間の間隔を示しながら，トイレに行かなくても大丈夫と安心させることが大切です。

課題1 アレルギー性疾患の予防として、室内の整備を考えてみよう

子どもの保健の基本的知識や現場で出会うさまざまな保育課題を質問形式にしています。講義ページとあわせて学習しましょう。

※解答(例)は194ページ

下の図でアレルギー性疾患をもつ子どもがいるときに改善したほうがよいところをあげてみよう。

課題2 自分で着替えることができない子どもの服の着替えを実践してみよう

※解答(例)は194ページ

1) 服の準備をどのようにするか？
2) 片方の腕に障害がある場合，どちらの腕から服を脱ぎ，どちらの服から着るか？
3) 下半身の衣服の着替えで注意することはどんなことか？

課題3　車いすの使い方を実践してみよう

ヒント
車いすの仕組みを理解し，子ども用の車いすについて調べてみよう。

※解答(例)は194〜195ページ

1) ブレーキのかけ方
2) 方向転換の仕方
3) ストッパーのかけ方
4) リクライニングの調節の仕方

課題4　鼻腔吸引，気管吸引の実践をしてみよう

※解答(例)は195ページ

1) 吸引器の用意の仕方
2) カテーテルの挿入の仕方
3) 鼻汁，痰の吸引の仕方
4) 気管吸引時に特に注意すること

課題5　慢性疾患，障害をもつ子どもを他の子どもが理解する方法を考えてみよう

※解答(例)は195〜196ページ

1) 紙芝居
2) 絵本
3) 啓発人形劇
4) 点字体験
5) 手話体験
6) 障害のある子どものおもちゃ
7) ユニバーサルデザイン

解答は 196～197 ページ

第 9 章　おさらいテスト

問1　次の文の（　　　）の中に適当な語句を入れなさい。

①慢性疾患を持つ子どもは，長期の入院生活や通院をしなければならないことがしばしばありますが，（　　　　）途上の子どもにとっては，（　　　　　）を受けるだけでなく，（　　　　）を促す遊びや学習が欠かせません。

②その援助を行うために，病児保育，病棟保育，院内学級などを行う場所が増えてきています。さらには，慢性疾患や障害をもつ子どもの家族の協力に対する配慮も大切で，（　　　　）への支援や，（　　　　　）への配慮も必要となります。

問2　次の文の（　　　）に適当な語句を入れなさい。

①アレルギーとは，免疫反応が人体に不利に働いた場合をいう。
人体に不利な作用を起こす原因となるものを（　　　　）という。
遺伝的体質や（　　　　）により影響を受ける。年齢，（　　　　）により症状が変化したり，いろいろなアレルギー疾患を繰り返したりする。

②アレルギー反応により，気管支の平滑筋が収縮し，気道が狭窄することによって，（　　　　）の呼吸困難となった状態を，気管支喘息の（　　　　）という。アレルゲンの多くは（　　　　）や（　　　　）などの吸入抗原である。

③脳性麻痺とは胎児期や周産期の原因による大脳の非進行性病変により，（　　　　）をきたしたものをいう。症状としては，（　　　　）の異常，姿勢の異常，言語障害，けいれんなどがある。

④自分で移動や運動が困難な子どもの場合，正しい（　　　　）の保持が大切で，骨や関節の変形，拘縮が進行しないように注意する必要がある。洋服の着替えでは，なるべく前あきのものとし，下着と上着の袖をあらかじめ通しておくようにし，脱がせるときには，動きの（　　　　）ほうから脱がせ，着せるときには，動きの（　　　　）ほうから着せるようにする。

問3　次の記述について，適切なものに○，適切でないものに×をつけなさい。

①（　　）脳性麻痺は脳の障害によって不可逆的な運動障害をきたす。知的障害は必ずしも伴わない。

②（　　）アレルギー疾患を持つ子どもでは，精神的成長も大切なので，室内で犬を飼ってもよい。

160

③(　　)気管支喘息がある場合，じゅうたんの使用を避けるようにする。

④(　　)食物アレルギーがある場合，アレルゲンと思われた食物は，すべて取り除くようにする。

⑤(　　)気管支喘息では，吸気が延長する。

⑥(　　)喘息発作が起きた場合は，横にするより起坐位で呼吸させる。

⑦(　　)気管支喘息と診断されている子どもには，発作が起きないように，外遊びや遠足には参加させない。

MEMO

第10章

子どもの生活習慣について考えてみよう

◆生活習慣病の予防を子どもから考える必要性を理解する

◆子どもの食生活・睡眠・遊びの変化を知り，健康づくり
　への配慮を考える

◆思春期のリプロダクティブ・ヘルスについて理解する

A 生活習慣病の予防

高血圧，糖尿病，動脈硬化などの従来，成人病といわれた疾患は生活習慣が関係しているとされ，生活習慣病と呼んだり，最近は内臓脂肪の蓄積が関連するということで，メタボリックシンドロームと称されています。これは，子どものころの生活習慣から始まっていると考えられるようになり，小児期からの予防が重要視されています。この生活習慣とは，子どもの食生活だけでなく，睡眠時間，日常生活，運動時間，心理的要因などさまざまな背景についても配慮する必要があります。

B 肥満とやせ

子どもの肥満の評価法はいくつかあります。成人では BMI〔（体重 kg）／（身長 m）^{2}〕が25以上を肥満と判定しますが，子どもでは，これと同じ計算で出されるカウプ指数を用い，年齢により基準値が異なります。また小中学生の発育評価では，ローレル指数があります。これは（体重（kg）／身長（m）^{3}）× 10で計算し，肥満の判定に用いられます。身長110 〜 129 cm で180以上，130 〜 149 cm 以上で170以上，150 cm 以上で180以上を肥満とします。わが国では，日本人小児の平均体重を性別，年齢，身長ごとに表したものを標準体重とし，実測体重が標準体重に比べ，何％増加しているかで判定する肥満度判定曲線で判定する方法がしばしば用いられています（14 ページ図 22，図 23）。

肥満傾向≧＋ 20 ％，痩身傾向≦－ 20 ％とし，肥満はさらに＋ 20 〜 30 ％を軽度肥満，＋ 30 〜 50 ％を中等度肥満，＋ 50 ％以上を高度肥満としています。子どもの肥満は，6

表 1 ●肥満傾向児の出現率の推移

		5 歳	6 歳	7 歳	8 歳	9 歳	10 歳	11 歳	12 歳	13 歳	14 歳
男子	2007 年度	2.78	4.79	6.77	8.09	10.23	11.59	11.64	12.41	10.84	10.22
	2008 年度	2.87	4.52	6.19	8.03	10.36	11.32	11.18	11.97	10.28	9.99
	2009 年度	2.75	4.55	5.60	7.53	9.57	10.76	10.61	11.49	9.71	9.55
	2010 年度	2.80	4.46	5.62	7.20	9.06	10.37	11.09	10.99	9.41	9.37
	2011 年度	2.14	3.75	5.18	6.70	8.39	9.42	9.46	10.25	9.02	8.48
	2012 年度	2.41	4.09	5.58	7.13	9.24	9.86	9.98	10.67	8.96	8.43
	2013 年度	2.38	4.18	5.47	7.26	8.90	10.90	10.02	10.65	8.97	8.27
	2014 年度	2.55	4.34	5.45	7.57	8.89	9.72	10.28	10.72	8.94	8.16
	2015 年度	2.34	3.74	5.24	6.70	8.93	9.77	9.87	9.87	8.37	7.94
	2016 年度	2.68	4.35	5.74	7.65	9.41	10.01	10.08	10.42	8.28	8.04
女子	2007 年度	2.96	4.70	5.71	7.50	8.16	8.92	9.47	9.67	8.99	8.75
	2008 年度	2.78	4.57	5.88	7.18	7.91	9.42	9.68	9.84	9.05	8.54
	2009 年度	2.65	4.17	5.40	7.05	7.58	8.26	8.74	9.04	8.13	8.21
	2010 年度	2.83	4.23	5.13	6.90	7.51	8.13	8.83	8.92	7.96	7.89
	2011 年度	2.40	3.93	4.86	5.94	6.82	7.71	8.12	8.51	7.49	7.43
	2012 年度	2.36	4.37	5.23	6.09	7.23	7.73	8.61	8.64	7.90	7.36
	2013 年度	2.49	3.91	5.38	6.31	7.58	7.96	8.69	8.54	7.83	7.42
	2014 年度	2.69	4.15	5.41	6.24	7.36	8.40	8.56	7.97	7.89	7.68
	2015 年度	2.24	3.93	5.00	6.31	6.99	7.42	7.92	8.36	7.69	7.14
	2016 年度	2.44	4.24	5.18	6.63	7.17	7.86	8.31	8.57	7.46	7.70

（文部科学省：平成 28 年度学校保健統計（学校保健統計調査報告書）（http://www.mext.go.jp/component/b_menu/other/__icsFiles/afieldfile/2017/03/27/1380548_01.pdf〔閲覧日：2019.1.11〕））

歳以降より認められ，11〜12歳がピークで，年度ごとに増加傾向です。基礎疾患が特にない肥満は単純性肥満といわれていますが，成因は遺伝や食生活，運動量などの生活習慣や，心理的問題もあり，解決には家族の協力が必要です（**表1**）。

　痩身傾向は，肥満傾向と比べて出現率は多くありませんが，年々増加傾向で，特に女子の年長児に多く認められています。これは，思春期やせ症と関連し，精神的な背景もあり，多くは心理療法も必要とされています。

C 食生活

　子どもの肥満の増加の原因として，エネルギー摂取が多すぎる食生活との関連が大きいといえます。最近のわが国の食習慣の特徴としては，食事の洋風化とともに動物性脂肪の摂取が多すぎることがあげられます。また，就寝時刻が遅くなる傾向とともに，朝食を食べなかったり，一人で食事をしたり（**図1**），夕食の時間が遅くなったりする（**図2**）ことで，不規則で偏った食事になったり，エネルギーの多い間食を手軽に行えてしまうことで，過食となることが考えられます。

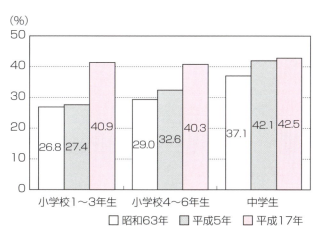

図1 ●朝食を子どもだけで食べる比率の年次推移
(厚生労働省：平成17年国民健康・栄養調査結果の概要
(https://www.mhlw.go.jp/houdou/2007/05/h0516-3a.html〔閲覧日：2019.1.11〕))

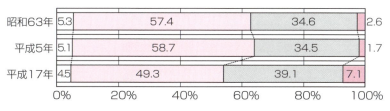

図2 ●夕食時間の年次推移
(厚生労働省：平成17年国民健康・栄養調査結果の概要(https://www.mhlw.go.jp/houdou/2007/05/h0516-3a.html〔閲覧日：2019.1.11〕))

D　就寝時刻と起床時刻

　発育期における睡眠時間は大切で、減少すると睡眠時に分泌されるホルモンが減少したり、感情の制御が不安定となります。最近は夜型社会となり、子どもの就寝時刻が遅くなる傾向があります。その結果睡眠時間が短くなったり、起床時刻が遅くなって、朝食が食べられなくなったり、昼間の活動時間が減少するなどの問題をひき起こす可能性があります。

E　遊びと体力づくり

　最近の少子化、都市化、家庭用ゲーム機・インターネット・スマートフォンの普及によって、子どもたちの遊びに変化がみられます。屋外での遊びが減り、集団で遊ぶことが少なくなっています。子どものいつも遊ぶ場所は、「友達の家や公園・児童施設」から「自分の家や家のまわり」となり、行動範囲は非常に狭くなっています（図3）。日常の運動不足とともに、ゲームに熱中することによる視力の低下も懸念されています。

　また幼児期の身体的特徴は、成人に比べ未熟、未分化ですが、柔軟性に富んでいます。援助すべき体力は身体の各部を互いに調整しながら動かす能力である調整能力です。また、集団で行う運動では、社会に適応するための協調性も養われます。

　スポーツ教室などで、成長期であることを配慮して心身への負担が大きすぎないように、本人の運動への好奇心に基づいて、意欲を持続できる体験ができることが望ましいでしょう。

F　心身症

　心身症とは、身体異常に対する治療だけでなく、心理的問題や生活上の問題も対応しな

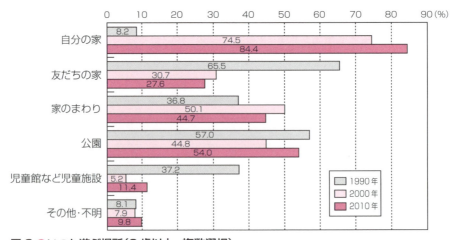

図3 ●いつも遊ぶ場所（2歳以上、複数選択）
（公益社団法人 日本小児保健協会：平成22年度幼児健康度調査報告、2011.（http://www.jschild.or.jp/book/pdf/2010_kenkochousa.pdf〔閲覧日：2019.1.11〕））

第10章 | 子どもの生活習慣について考えてみよう

表2 ● 心身症の例

起立性調節障害 （orthostatic dys- regulation：OD）	学童期に多く，朝なかなか起きられない，急に立ち上がったときに目の前が暗くなり立ちくらむなどの症状があり，自律神経失調が関係する。薬物療法のほかに，睡眠時刻の調節や朝食の食べ方など生活習慣の改善や，心理療法などを行う。
過換気症候群	強い不安などがきっかけとなって，速い呼吸が起こり，体内の二酸化炭素の過剰排出により，意識障害，手足のしびれ，けいれんが起こる。口元に袋を置いて，排出した二酸化炭素を再び吸うことで改善する。
過敏性腸症候群	腸管の機能異常に基づき，腹痛と下痢を認める。出かける前の朝に症状が強く出る。規則正しい生活にし，刺激物や脂肪の多い食事を控えるなど生活習慣の改善が大切である。
チック	心因性に出現するくせで，幼児期から学童にみられる。まばたき，首を振る，咳払い，鼻をならす，顔をしかめるなどの動作を反復して行う。緊張したり注意されたりすると激しくなるので，リラックスできるようにする。
神経性頻尿	尿路感染症と異なり，尿所見に異常はないものの，排尿してもすぐトイレに行きたがる。尿量は多くなく，夜間には頻尿はなくなる。排尿の失敗に対する不安が強いことが多いので，日常生活で安心させることが大切である。
神経性食欲不振症 （拒食症）	思春期の女子に多く発症し，何かのきっかけから拒食が始まり，食行動の異常を認め，極度のやせとなり，無月経となることもある。家族を含めた心理療法が大切であるが，ときには入院して強制的栄養補給が必要になることもある。

いと治らない病気のことです。子どもは成長発達期であるため，心理的ストレスが心身両面に影響しやすく，しばしば起こります。身体面では頭痛，腹痛，気分不快を訴えることが多く，不登校や引きこもりにつながることも多いので，きめ細かな配慮が必要となります（**表2**）。

G 思春期のリプロダクティブ・ヘルス

リプロダクティブ・ヘルスとは，保健医療において最近注目を集めている考え方で，1994年開催された国際人口・開発会議で，「生殖に関わるシステムや，その機能，過程に関する事柄が，身体的，精神的，社会的に良好な状態」とされています。ここでは，性と生殖を統一した概念としてとらえ，母親の健康を出産だけでなく，生涯にわたって考えようとしています。リプロダクティブ・ヘルスでは，思春期が重要な時期であり，望まない妊娠，中絶，性感染症を優先課題として取り組んでいます。現代の日本では，性経験の低年齢化が進行しており，適切な避妊を実施できないまま，望まない妊娠となり，昭和45（1970）年代より10代の人工妊娠中絶数は増加していましたが，ここ数年は減少傾向になっています（**図4**）。10代の若者に，正しい避妊教育を行うことの必要性が高くなっており，同時に10代で出産した場合も，教育や社会生活が安心して継続できるような経済的社会的サポートについても考える必要があります。

性感染症についても，10～20代において増加しています。安全な性行為を行うための正しい情報やアドバイスを受ける機会の必要性が高くなってきているといえるでしょう。

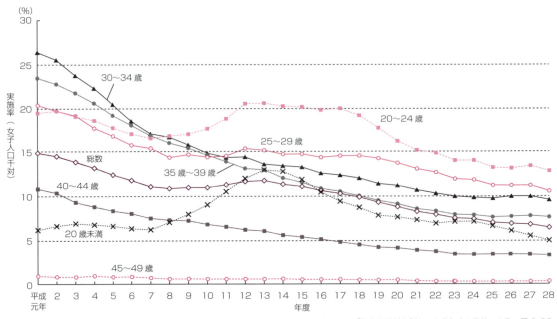

図4 ●年齢階級別にみた人工妊娠中絶実施率（年齢階級別女子人口千対）の年次推移
（厚生労働省：平成28年度衛生行政報告例の概況（https://www.mhlw.go.jp/toukei/saikin/hw/eisei_hou-koku/16/dl/gaikyo.pdf〔閲覧日：2019.1.11〕））

第10章｜子どもの生活習慣について考えてみよう

課題 1　肥満度判定曲線を用いて，どれくらいの肥満かやせであるか，判定してみよう

子どもの保健の基本的知識や現場で出会うさまざまな保育課題を質問形式にしています。講義ページとあわせて学習しましょう。

1) 4歳男児，身長 100 cm，体重 20 kg
2) 6歳女児，身長 115 cm，体重 25 kg
3) 10歳男児，身長 140 cm，体重 50 kg
4) 13歳女児，身長 155 cm，体重 38 kg

ヒント
14ページの図22，23を用いましょう。

※解答(例)は197ページ

課題 2　肥満傾向のある子どもへの指導をまとめてみよう

※解答(例)は197ページ

1) 食事内容の指導
2) 食事時間の指導
3) 間食の指導
4) 日中の遊び・運動の指導
5) 精神的ストレスへの指導
6) 家族への指導

課題 3　痩身傾向のある子どもへの指導をまとめてみよう

※解答(例)は197ページ

1) 食事内容の指導
2) やせ願望への指導
3) 家族への指導

課題 4　近年，日本における子どもの就寝時間を遅くしている原因について話し合い，対策について考えてみよう

※解答(例)は198ページ

1) テレビの視聴時間
2) ゲームを行っている時間
3) 起床時刻
4) 家族の就寝時刻

課題5 ゲームを長時間したときの身体への影響を話し合ってみよう

※解答(例)は198ページ

1) 視力
2) 集中力
3) その他

 課題6 思春期の身体の悩み，心の悩みにどのように答えるか，考えてみよう

※解答(例)は198ページ

1) 太りすぎたり背が低いのではないか
2) 朝，学校へ行こうとするとおなかが痛くなる
3) 学校へ行きたくない
4) 友達とうまくいかない

第10章 子どもの生活習慣について考えてみよう

解答は198ページ

第10章　おさらいテスト

問　次の文の（　　　　）に適当な語句を入れなさい。

①肥満傾向の判定として，わが国では，日本人小児の平均体重を性別，年齢，身長ごとに表したものを標準体重とし，（　　　　　　）が標準体重に比べ，何％増加しているかで判定する方法がしばしば用いられている。
　基礎疾患が特にない肥満は，（　　　　　）といわれているが，成因は遺伝や（　　　　）や（　　　　　）などの生活習慣や，心理的問題もあり，解決には（　　　　　　）の協力が必要である。

②発育期における睡眠時間は大切で，減少すると睡眠時に分泌される（　　　　　　）が減少したり，感情の制御が（　　　　　）となる。
　就寝時刻が遅くなると，（　　　　　　）が遅くなって，（　　　　　）が食べられなくなったり，昼間の（　　　　　）が減少するなどの問題を起こす可能性がある。

③幼児期の身体的特徴は，成人に比べ未熟，未分化であるが，（　　　　　）に富んでいる。
　援助すべき体力は身体の各部を互いに調整しながら動かす能力である（　　　　　）である。また，集団で行う運動では，社会に適応するための（　　　　　）も養われる。

④リプロダクティブ・ヘルスとは，（　　　　　　）に関わるシステムや，その機能，過程に関する事柄が，身体的，精神的，社会的に良好な状態で，性と（　　　　　）を統一した概念としてとらえ，（　　　　　　）が重要な時期であるとしている。

第10章　講義

第10章　演習

第10章　テスト

課題とテストの解答（例）

171

MEMO

第11章

世界の子どもの保健を
ながめてみよう

◆子どもの保健における国際協力と日本や海外保健の現状
　を理解する
◆在日外国人の子どもの保健の現状を理解する
◆海外渡航する子どもの健康に必要な支援を理解する

A 子どもの保健の国際協力

1）国際連合（国連）（UN：United Nations）

1945年の第二次世界大戦直後に，国際関係を安定させ，平和の創造と維持を目的として創設され，保健医療分野では世界保健機関（WHO）という専門機関を有しています。2000年に採択された国連ミレニアム宣言では，乳幼児死亡率の削減，妊産婦の健康改善，感染症の防止だけでなく，貧困の撲滅，平等の達成，環境保全など子どもの健康に関連する項目の目標達成を加盟国に義務づけています。

2）世界保健機関（WHO：World Health Organization）

世界保健機関は，1946年に開かれた国際保健会議で設立を決定した，保健衛生を担当する国連の専門機関です。

WHO憲章では，「すべての人々が，可能な限り最高の健康水準に到達すること」を目的とし，国際保健事業を指導，および調整，保健事業強化のため世界各国への技術援助などを行っており，母子保健に関する専門家部会もあります。

3）国際連合児童基金（ユニセフ）
（UNICEF：United Nations Children's Fund）

1946年の国連総会で，第二次世界大戦後の荒廃した国々の子ども達への援助を目的として作られた組織で，発展途上国の援助も含め，人道的立場に立った支援を行っています。

B 日本の子どもの保健の現状

1）子どもの死亡率の変遷

わが国の乳児の死亡率は，この90年で1/50に減少し，昭和30（1955）年と比較すると1/16となっており，平成26（2014）年は，人口千に対し2.1と，世界でトップクラスの低さとなっています（図1）。

2）子どもの死亡率改善の原因

かつては，肺炎，気管支炎，腸炎などの感染症による死亡が多かったのですが，小児医学の発展，普及，栄養の改善，予防接種の開発と普及，上下水道の整備とともに，国民の健康意識の高まりにより，死亡率が改善されました。

3）出生率の減少

出生率は，出生数を人口で割り，1,000倍したものです。一人の女性が生涯に産む子どもの数の平均値を合計特殊出生率といい，15〜49歳の女性の出生数を同年齢の女性の人口で割ったものです。わが国では年々この出生率が減少し，2005年は1.26と最低になって後，少しずつ持ち直していますが，2015年は1.46で，人口を維持する2.07〜2.08までは至らず，少子化が問題となっています（図2，図3）。出生順位別に見た父母の平均年齢は年々上昇しており，このことも影響していると思われます（図4）。

第11章 世界の子どもの保健をながめてみよう

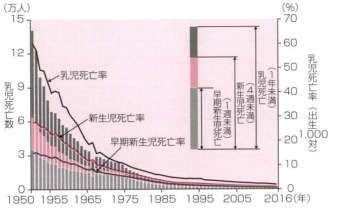

図1 ●乳児死亡数および乳児死亡率の年次推移（1950〜2016年）
（厚生労働省政策統括官：平成30年我が国の人口動態2018（http://www.mhlw.go.jp/english/database/db-hw/dl/81-1a2en.pdf〔閲覧日：2019.1.11〕））

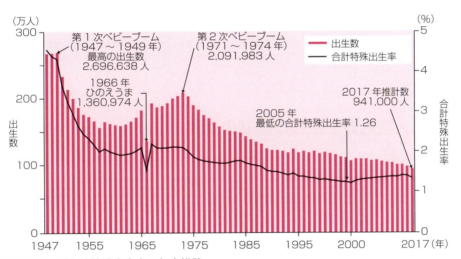

図2 ●出生数および合計特殊出生率の年次推移
（政策統括官付参事官付人口動態・保健社会統計室：平成29年（2017）人口動態統計月報年計（概数）の概況2017（http://www.mhlw.go.jp/toukei/saikin/hw/jinkou/geppo/nengai17/dl/gaikyou29.pdf〔閲覧日：2019.1.11〕））

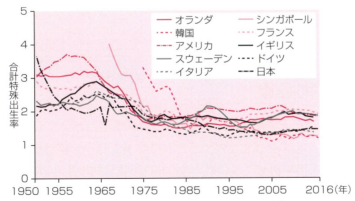

図3 ●合計特殊出生率の年次推移，諸外国との比較（1950〜2016年）
（厚生労働省政策統括官：平成30年我が国の人口動態2018（http://www.mhlw.go.jp/english/database/db-hw/dl/81-1a2en.pdf〔閲覧日：2019.1.11〕））

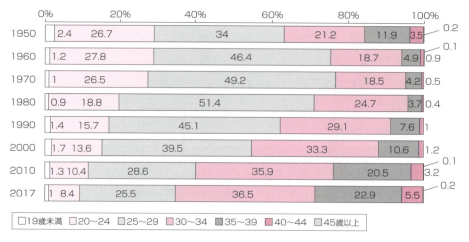

図4 ● 母親の年齢別にみた出生数の割合
(政策統括官付参事官付人口動態・保健社会統計室：平成29年人口動態調査「母の年齢別にみた年次別出生数・百分率及び出生率（女性人口千対）」．厚生労働省，2017（政府統計の総合窓口（e-Stat）https://www.e-stat.go.jp/stat-search/files?page=1&query=%E6%AF%8D%E3%81%AE%E5%B9%B4%E9%BD%A2%E5%88%A5%E3%81%AB%E3%81%BF%E3%81%9F%E5%B9%B4%E6%AC%A1%E5%88%A5%E5%87%BA%E7%94%9F%E6%95%B0&layout=dataset&toukei=00450011&tstat=000001028897&stat_infid=000031743389〔閲覧日：2019.1.11〕))

C 在日外国人の子どもの保健の現状

　国際交流が活発になるに従い，日本国内の外国人登録者は年々増加しています。従来は，朝鮮半島の外国人登録者が大半でしたが，1990年代以降，南米やアジアの外国人登録者が増加しています。また，国際結婚も増加しており，国籍も多様化しています。日本国内に居住する人はその国籍を問わず医療・福祉・教育のサービスを受けることができ，「母子保健法」には国籍による区別はなく，在留資格も関係なく適用されます。ただ，実際には言語の問題をかかえ，具体的な保健サービスの情報がないため，乳幼児健診や予防接種を受けていない子どもがいることもあります。1996年，厚生労働省は外国人母子へ指導体制を強化する通知を出し，外国人母子への母親教室，外国語版の母子健康手帳の配布（**図5**），通訳体制の整備などが行われていますが，情報伝達方法や保健所，医療機関での一層の充実が望まれます。

D 海外渡航者の健康

　海外渡航する子どもは年々増加の傾向にあり，長期滞在者も増えています。渡航する国の医療状況や制度によっても異なりますが，子どもの健康に関して必要とされる情報は，渡航前は，予防接種や海外の医療機関について，渡航後は病気に関することが多くなります。

1）予防接種

　わが国の予防接種は，最近改善されつつあるものの，海外に比べて種類や回数が少なく，また接種開始年齢が遅い傾向にあります。したがって渡航する国の情報を早めに入手

〈英語版〉

〈中国語版〉

〈ハングル版〉

〈ポルトガル語版〉

（このほかに，タイ語版，タガログ語版，インドネシア語版，スペイン語版，ベトナム語版があり，全部で9か国語）

〈中国語版〉

図5● 外国語/日本語併記母子健康手帳
（財団法人 母子衛生研究会（企画・編集協力），母子保健事業団（発行）：外国語/日本語併記母子健康手帳）

して，予防接種計画を立てる必要があります。欧米では，麻疹や風疹などの予防接種をしていないと小学校に入学できないことがあります。また，予防接種証明書を持参する必要がある場合もあります。

2）海外の医療情報

　海外での医療費は，健康保険が使用できないので，あらかじめ医療保険に入っていないときには，高額の負担が必要となることがあります。また，プライマリケアを行う一般医と専門医に分けられ，一般医の紹介がないと，専門医も受診ができないため，一般医の

ホームドクターを早めに見つけておくことが大切です。海外で子どもが病気になったときのために，Web 上でも病院受診時の英会話フレーズの例が掲載されています。いざというときのために，情報を集めておきましょう。

3）海外での感染症

渡航地域特有の感染症の情報についてあらかじめ入手しておく必要があります。各国の医療情報は，外務省の HP 内の http://www.mofa.go.jp/mofaj/toko/medi/index.html，最新の感染症情報は，http://www.anzen.mofa.go.jp/kaian_search/index.html から入手できます。地域によっては，黄熱などの予防接種が必要となります。

E　発展途上国の子どもの保健の現状

子どもの免疫系が発達途上である間は，感染症にかかりやすいということは，どの国で生活していても同様です。ただ，注意が必要な感染症の種類が異なります。発展途上国では，飲料水や生ものなどの食物には特に注意する必要があります。殺菌のため煮沸や加熱をできるだけします。飲料水の場合，ミネラルの多い硬水と少ない軟水があり，日本では軟水ですが，国によっては硬水であることもあり，乳児の身体には負担がかかるため，ミルクを作るときには軟水を用いるようにしましょう。硬水しかない場合は，硬度を減らす軟水器があると便利です。

直射日光の厳しい国では，外出時に紫外線対策や熱中症の予防にも気をつける必要があります。また，蚊や動物から感染する感染症が多いので，防虫対策を行い，環境整備にも気を配ることが大切です。

課題 1 海外で生活するときの健康上で不安なことをあげてみよう

※解答(例)は 199 ページ

 課題 2 在日外国人の子どもの健康上の支援で必要なことを話し合ってみよう

※解答(例)は 199 ページ

 課題 3 近くの市区町村の保健所に訪問して，外国人の子どもへの対応をどのようにしているか調べてみよう

※解答(例)は 199 ページ

課題 4 日本の乳児死亡率の低下の要因は何か，話し合ってみよう

※解答(例)は 199 ページ

解答は 199 ページ

第 11 章　おさらいテスト

問　次の（　　　）に適当な語句を入れなさい。

①世界保健機関（WHO）は，1946 年に開かれた国際保健会議が設立を決定した（　　　　）を担当する国連の専門機関である。
WHO 憲章では，「すべての人々が，可能な限り最高の（　　　　）に到達すること」を目的としている。

②わが国では，かつては，肺炎，気管支炎，腸炎などの（　　　　）による死亡が多かったが，小児医学の発展，普及，（　　　　）の改善，予防接種の開発と普及，上下水道の整備とともに，国民の（　　　　）の高まりにより，死亡率が改善された。

③一人の女性が生涯に産む子どもの数の平均値を（　　　　）といい，15 〜 49 歳の女性の出生数を同年齢の女性の人口で割ったものである。
わが国では年々この出生率が（　　　　）して，少子化が問題となっている。

④日本国内に居住する人は，その（　　　　）を問わず医療，福祉，教育のサービスを受けることができ，「母子保健法」には（　　　　）による区別はなく，（　　　　）も関係なく適用される。

⑤子どもの免疫系が発達途上である間は，（　　　　）にかかりやすいということは，どの国で生活していても同様である。発展途上国では，（　　　　）や生ものなどの食物に，特に注意する必要がある。

180

各章の演習課題と
おさらいテストの
解答（例）

第1章 演習課題の解答（例） 〈本文20〜23ページ〉

課題2

1) 正期産児　標準体重児
2) 早産児　標準体重児
3) 正期産児　巨大児
4) 早産児　低出生体重児
5) 正期産児　低出生体重児

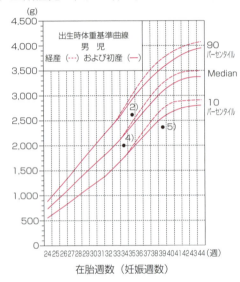
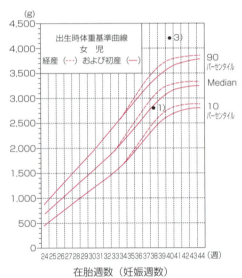

課題5

1) カウプ指数：16　（普通）

2) カウプ指数：12　（やせすぎ）

3) カウプ指数：$\dfrac{20}{1 \times 1} = 20$　（太りすぎ）

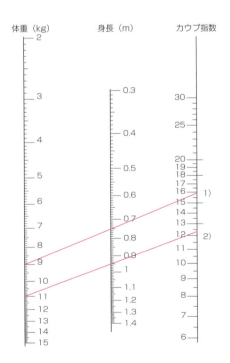

課題6

1) 身長は標準内で発育していますが，体重が6か月頃よりやや増加が停滞しています。離乳食の進め方などに問題がないか相談を受ける必要があるかもしれません。

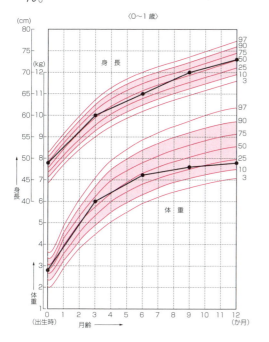

2) 乳幼児が体重増加，身長増加がないときには何らかの疾患か虐待がないかを考える必要があります。6歳の段階では明らかに異常ですが，3歳の段階で身長が標準以下の時点で慎重に経過をみていれば，早期発見できていたと思われます。

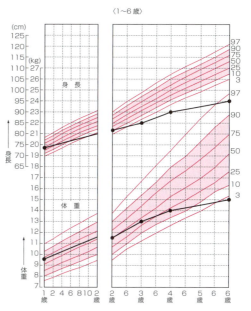

3) 体重は少なめですが一応標準内で，身長は標準からはずれて発育の偏りがあります。成長ホルモンが足りないなど何らかの疾患の可能性があるので医療機関に紹介します。

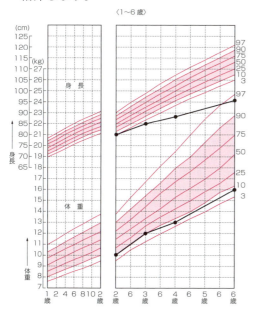

4) 6歳頃より身長が標準以上に伸びています。第二次性徴が早くきていないか身体の様子をみて医療機関に紹介します。

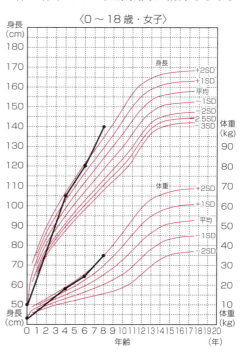

5) 6歳より体重増加が著しくなっています。食生活に問題がないか点検してみましょう。

6) 5か月より標準範囲を超えて大きくなっているので医療機関に相談する必要があります。

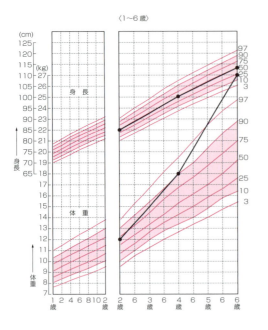
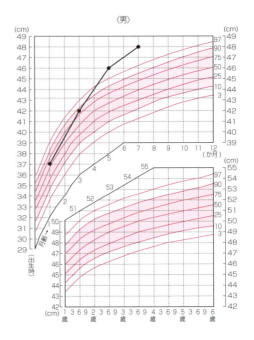

第1章 おさらいテストの解答　〈本文24〜26ページ〉

問1

① 40　3,000
② 早産児
③ 低出生体重児
④ 巨大児
⑤ 50　33　4　頭囲
⑥ 大泉門　小泉門
⑦ 仰臥位　頭部　足底　耳眼面　立位　30
⑧ 生理的体重減少
⑨ 2　3
⑩ 1.5　4　12
⑪ 小さい　中央　3　97
⑫ カウプ指数　体重(kg)　身長(m)
⑬ 23　ア

問2

① ○
② ×　喫煙，大量の飲酒で低出生体重児となる。
③ ×　頭囲が大きい。
④ ×　前頭部ではなく眉の上。
⑤ ×　対辺の距離。

184

⑥ ×　　小さいほうから。

⑦ ×　　3パーセンタイル値未満または97パーセンタイル値以上。

⑧ ×　　乳児期，次いで思春期で急速に伸びる。

⑨ ×　　年齢によって，評価が異なる。

⑩ ×　　減少する。

問3

① 授乳・食事　　0位

② 2　　　頭頂部

③ 眉の上　　　mm

第2章　演習課題の解答（例）　　　〈本文36ページ〉

課題2

1）1～3か月

2）5～8か月

3）7～12か月

4）7～11か月

5）9か月～1歳2か月

6）10か月～1歳6か月

7）1歳3か月～1歳7か月

8）2～4歳

9）6～11か月

10）1歳～1歳6か月

11）4～6歳

12）2～4か月

13）9～12か月

14）2～3歳

15）3～4歳

第2章　おさらいテストの解答　　　〈本文38～39ページ〉

問1

① 原始反射　　3か月

② モロー反射

③ 吸啜反射

④ 足部　　　末梢　　　微細運動

⑤ 垂直位　　　3～4か月　　　ひき起こし反応

⑥ お坐り　　　8～9か月　　　おんぶ

⑦ つたい歩き　　　ひとり立ち

⑧ 平衡感覚　　　交互運動　　　12～15か月

⑨ 協調運動　　　原始反射　　　3か月　　　積み木

⑩ 喃語　　　ジャルゴン

⑪ 初語　　　指差し　　　二語文

⑫ 泣く　　ほほえむ　　笑う
⑬ 人見知り　　反抗期

問2

① ×　　原始反射は3か月頃に消失するのが正常で，長く残っているときには，神経発達の異常を考える。

② ○

③ ×　　緊張性頸反射では，頭を向けたほうの上下肢は伸展する。

④ ×　　運動発達には順序があり，頭部から下方に発達するので，首が坐る前にはいはいすることはない。

⑤ ×　　④と同様に，身体の中心から末梢に発達するので，肘や肩の動きがしっかりできるようになってから，手の指がしっかり動くようになる。

⑥ ×　　1か月児は，音は聞こえるが首を向けることはできない。

⑦ ○

⑧ ×　　1歳では単語が出てくれば十分。

⑨ ○

⑩ ×　　2歳では丸を描くことはできても，三角形をまねて描くのは難しい。

第3章　おさらいテストの解答　　〈本文51〜52ページ〉

問1

① 体表面積　　環境温　　高い
② 高く　　高く　　うつ熱
③ 鼻呼吸
④ 腹式呼吸　　胸式呼吸　　7歳
⑤ 30〜40　　少なく　　増加
⑥ 多く　　120〜140　　増加
⑦ 多く　　体表面積　　不感蒸泄　　多い
⑧ 細胞外液
⑨ 固視　　追視
⑩ 受動免疫　　能動免疫　　能動免疫

問2

① ウ
② イ
③ イ　　ア
④ イ　　ア
⑤ イ　　イ
⑥ ウ
⑦ ア

問3

① ○
② ○

③ × 　乳児は腹式呼吸である。
④ ○

第４章　演習課題の解答（例）
〈本文 71 ページ〉

課題 9
1) B　　2) C　　3) D　　4) A　　5) E

第４章　おさらいテストの解答
〈本文 72 〜 73 ページ〉

問 1
① 離乳　　離乳食　　押し出し反射　　　貧血
② 離乳の完了　　1 歳頃　　卒乳
③ 下顎前歯　　4　　乳臼歯
④ ノンレム睡眠　　レム睡眠

問 2
① K
② IgA
③ 鉄
④ 6 か月　　20 本
⑤ 6 歳　　32 本

問 3
① ○
② ○
③ × 　離乳準備期は，スープなどをスプーンから飲み込む練習をする。
④ ○
⑤ × 　食物アレルギーがあるときには，離乳食の進行を遅くする。
⑥ ○
⑦ ○
⑧ × 　夜間起こして排尿すると，夜尿は固定化する。
⑨ ○
⑩ ○
⑪ × 　ノンレム睡眠ではなく，レム睡眠である。
⑫ ○
⑬ × 　レム睡眠は「身体の眠り」でノンレム睡眠は「脳の眠り」である。
⑭ ○
⑮ ○

第５章　おさらいテストの解答
〈本文 81 ページ〉

① ○
② × 　気温が水温より高いことが必要である。

③ ×　　毎年更新する。

④ ×　　血液で抗体価の証明を行うか，2回接種する必要がある。

⑤ ○

⑥ ○

⑦ ○

⑧ ×　　保護者の責任において。

⑨ ×　　尿検査は，3歳児健診のときのみ行う。

⑩ ×　　かぜの流行時にこそ換気が大切である。

⑪ ○

⑫ ×　　ノロウイルスには，消毒用アルコールは有効ではない。

第6章　おさらいテストの解答　〈本文104〜106ページ〉

問1

① 悪寒　　薄着　　水分

② 脱水症　　尿量

③ 加湿　　水分　　背中

④ 検温　　場所　　性状

⑤ 生ワクチン　　27日　　不活化ワクチン　　6日

⑥ ジフテリア　　百日咳　　破傷風　　ポリオ　　麻疹　　風疹

問2

① 麻疹

② 水痘

③ 流行性耳下腺炎

④ 風疹

⑤ 伝染性紅斑

⑥ 咽頭結膜熱

問3

① 突発性発疹

② 手足口病

③ 麻疹

④ 水痘

⑤ 風疹

⑥ 伝染性紅斑

⑦ ヘルパンギーナ

⑧ 溶連菌感染症

⑨ 咽頭結膜熱

⑩ 百日咳

問4

① ×　　解熱後3日を経過するまで

② ○

③ ○

④ ×　　　すべての発疹が痂皮化するまで

⑤ ×　　　発疹が消失するまで

⑥ ×　　　発症した後5日を経過し，かつ，解熱後2日（幼児は3日）を経過するまで

⑦ ○

問5

① ×　　　1週間後ではなく4週間以上後

② ○

③ ×　　　BCGは生ワクチンなので4週間後

④ ×　　　同じ診察で別々の場所に接種する

⑤ ○

問6

① ・白色便下痢症（ロタウイルス感染症）
　・ⓐイオン飲料などで水分補給する，ⓑ1回量を減らし水分補給の回数を増やす
　・ⓐ離乳食を中止する，ⓑミルクをうす目にする，ⓒおむつかぶれにならないようケアする
　・脱水症にならないよう注意して，尿の回数をチェックする
　・ⓐ尿量が減る，ⓑ皮膚のはりがなくなる，ⓒ口唇が乾く
　・消化の良いものにする。離乳食の時は前の段階とする

② ・尿路感染症
　・（必要な治療）医療機関で検査を受け，抗菌薬などの投薬を受ける
　　（日常生活指導）ⓐ水分摂取を多くする，ⓑ排尿するためにトイレに多く行く
　・排便時は前から後ろへふくよう指導する

③ ・伝染性膿痂疹（とびひ）
　・医療機関で診察を受け，抗菌薬などの投薬を受ける
　・汗を洗い流す。症状があるときはプールに入らない。タオルを共用としない

第7章　演習課題の解答（例）　　〈本文116〜118ページ〉

課題1

1）首が坐っていないので，寝ているまわりに物を置かない。特に，ビニール，ぬいぐるみは顔の近くに置かない。寝ている敷き布団，マットは硬めのものにする。よだれかけのひもがからまないようにする。ベッドの柵がまったくないと，何かのときに転落するおそれがある。柵のすきまに手足がはさまらないように注意する。上から落下物が落ちないように注意する。

2）寝返りしてベッドから落ちないように柵は常に上げておく。動いて手の届くところに口に入れられるものを置かないようにする。特に，床，柱に注意する。ラック，ベビーカー，チャイルドシートなどのシートベルト，ロックの確認。

3）転んだときに，ぶつかる可能性のあるものを排除する。階段，台所，風呂場，ベランダなどに一人で行かせないようにする。床にすべりやすいものがないか，水で濡れていないかを注意する。テーブルの上などに，ひっくり返すと困るものを置かない。テーブルクロスは使わない。浴槽に水をためておかない。洗濯機，ベランダに足台を置かない。

誤飲，誤嚥する危険のあるものを乳幼児の動くところに置かない。自転車に乗せたままそばを離れない。

4) タバコ，コーヒーカップ，コイン，薬瓶，ホッチキス，鉛筆，接着剤，はさみ，アイロン，針，床にある雑誌，ふとん，開きっぱなしのドア，コンセント，コード，花瓶，ガラス窓，ヒーター，ネコ，ソファー，風船，ベランダのいす

5) 洗濯機の近くの足台，下のほうに置いてある洗剤など，ドライヤー，マット，風呂場の床，シャンプー類，風呂場の戸，風呂桶の湯，カミソリ

6) テーブルクロス，テーブルの上のスープ，醤油瓶，ハチミツ，床のスーパー袋，ゴキブリとり，出ている引き出し，コンセント，下のほうにあるコーヒーメーカー，包丁，洗剤類，レンジ，やかん，なべ，冷蔵庫

7) 床に，洗剤をおいていないか。床がすべりやすくなっていないか。便座から落ちやすくなっていないか。

8) 足台が置いてあったりしないか。ベランダの手すりに布団を干したりしないか。虫さされや，アレルギーのもとになる植物がないか。芝刈り機などが置きっぱなしになっていないか。池などがないか。鳥の糞など動物の排泄物がないか。庭から道路や駐車場に容易に行けてしまうことはないか。

9) シートベルトはしているか。日焼け対策はしているか。停止したときは，車輪のロックを留めているか。一人で乗せたままそばを離れることはしないようにしているか。

10) 滑り台を逆から登っている。滑り台の横にいる。かばんを肩にかけたまま滑っている。滑り台の上で横を向いている。木の棒を持って走っている。ボールを追いかけて道路に飛び出す。虫を手で捕まえている。犬に近寄っている。タバコの吸いがら。噴水。シーソーに近寄っている。ブランコに近寄っている。

11) 子どもの手を引く。歩道側を歩かせる。横断歩道をわたる。バイク，車にさわらせない。道路を渡るときは左右を確認する。

12) 泳げない子どもには，浮き輪をつける。足が立つかどうか確認。排水溝には近寄らない。日焼け対策。体調に気をつける。大人が目を離さない。

13) 順番に乗る。座席にきちんと座るか立っているときには何かにつかまる。動いているときに立ち上がらない。窓から手や顔を出さない。降りるときには，大人が先に出て誘導する。最後に全員が降りたかどうか確認する。

14) プラットホームでは白線より内側で待つ。ホームではしゃいだりしない。列車に乗るときには，足下を確認する。車内ではきちんと坐るか立っているときには，何かにつかまる。列車から降りるときには足下を確認する。階段，エスカレーターに注意する。

15) 体格差があるときには大人がそばにいる。走り回る子どもと乳児は一緒にしない。おもちゃの取り合いのときにはそばに行く。転んだりぶつかったりしないように人数が多過ぎないようにする。床に遊んだおもちゃを置きっぱなしにしないようにする。

第7章 おさらいテストの解答 〈本文122～123ページ〉

問1

① 窒息　　転落，転倒

② 頭部，顔面

③ PTSD（外傷後ストレス障害）　　早期

④ 心理的虐待　　身体的虐待　　ネグレクト　　性的虐待

⑤ 児童相談所

問2

① ○

② ×　　交通事故である。

③ ○

④ ×　　受傷後早期に行う。

⑤ ×　　児童相談所に通告し，連携をとる。

⑥ ×　　ネグレクトを含む4つのタイプがある。

問3

③

第8章　演習課題の解答（例）

〈本文136〜138ページ〉

課題2

2) 煙の流れによっては，身体を低くして避難したほうがよい場合もある。

3) 普段より，避難訓練の手順を確認し，友達同士で身体をおさない，騒がないを徹底しておく。避難するときには，子ども達を2人ずつ手をつながせる。服に火がついてあわてて走り回る子どもは床に転がせて消火する。

6) 「171」をダイヤルし，音声ガイダンスに従って伝言の録音，再生を行う（**表**）。

10) a　雷が鳴り出したら，早めに校舎内に避難する。
　　　　何もない校庭を横切ると危険。壁沿いに動く。

10) b　大雨で浸水の危険があるときには，外出を控える。
　　　　どうしても外出しなければならないときには，一人ひとりの子どもに大人が付き添う。

10) c　災害の危険があるときには，外に出たり，川の近くに行かない。

課題4

3) まわりの人が，通電している人に身体の一部が触れていないか確認する。
　　床が濡れているときには，通電時に感電するおそれがあるので水を拭き取る。

4) 続けて心肺蘇生を救急隊に引き継ぐまで行う。

5) プールサイドの濡れていないところに連れていくか，床にタオルをひいて，身体の水分は拭き取る。タオルがないなど，水分を拭き取ることができないときには，通電は行わない。

課題5

1) 食べている途中で急に咳き込んだとき，急にゼイゼイし出したとき，苦しそうにのどのところに手を持っていき声が出せないとき。

2) 誤嚥したことを確認したら，人を呼び，救急車の手配を依頼する。
　　そばから離れず，誤嚥物を取り出す処置を行う。

3) 成人：「のどにものがつまったのですか？」と尋ね，声が出ないようであれば，背中を強く叩く。それでも物が出てこないようであれば，後ろに回って，両手を腹部でつなぎ，強く上方へ突き上げる。
　　妊婦：腹部を圧迫することはできないので，胸部を後ろから圧迫する。
　　幼児：顔を下に向かせて，背中を強く叩く。それでも出ないときには，胸部を圧迫し，それでも出ないときには，腹部を上方に圧迫する。

表●災害用伝言ダイヤル（171）の基本的操作方法

災害用伝言ダイヤル（171）は，NTT東日本・NTT西日本が，地震等の災害発生時に，被災地への通話がつながりにくい状況になった時に，伝言を預かるサービスです（2016年12月時点）。

	操作手順	伝言の録音		伝言の再生		
①	171をダイヤル	❶❼❶				通話料は発生しません
②	録音または再生を選ぶ。	〔ガイダンス〕こちらは災害用伝言ダイヤルセンターです。録音される方は「1」，再生される方は「2」，暗証番号を利用する録音は「3」，暗証番号を利用する再生は「4」をダイヤルしてください。				通話料は発生しません
		（暗証番号なし）❶	（暗証番号あり）〔ガイダンス〕4桁の暗証番号をダイヤルして下さい。❌❌❌❌	（暗証番号なし）❷	（暗証番号あり）❹〔ガイダンス〕4桁の暗証番号をダイヤルして下さい。❌❌❌❌	
③	被災地の方の電話番号を入力する。	〔ガイダンス〕被災地の方はご自宅の電話番号，または，連絡を取りたい被災地の方の電話番号を市外局番からダイヤルして下さい。被災地域以外の方は，連絡を取りたい被災地の方の電話番号を市外局番からダイヤルして下さい。❶❌❌❌❌❌❌❌❌❌				
		伝言ダイヤルセンタに接続します。※1				
④	メッセージの録音 メッセージの再生	〔ガイダンス〕電話番号０xxxxxxxxxx(，暗証番号xxxx)の伝言を録音します。プッシュ式電話機をご利用の方は数字の「1」のあとシャープを押して下さい。ダイヤル式の方はそのままお待ち下さい。なお，電話番号が誤りの場合，もう一度おかけ直し下さい。				通話料が発生します※2
		ダイヤル式電話機の場合	プッシュ式電話機の場合	ダイヤル式電話機の場合	プッシュ式電話機の場合	
		（ガイダンスが流れるまでお待ちください）	❶#	（ガイダンスが流れるまでお待ちください）	❶#	
		〔ガイダンス〕伝言をお預かりします。ピッという音の後に，30秒以内でお話下さい。お話が終わりましたら，電話をお切り下さい。	〔ガイダンス〕伝言をお預かりします。ピッという音の後に，30秒以内でお話下さい。お話が終わりましたら，数字の9の後シャープを押して下さい。	〔ガイダンス〕新しい伝言からお伝えします。	〔ガイダンス〕新しい伝言からお伝えします。伝言を繰返す時は，数字の8の後シャープを，次の伝言に移る時は，数字の9の後シャープを押して下さい。	
		伝言の録音		伝言の再生		
		（ガイダンスが流れるまでお待ちください）	録音終了後❾#〔ガイダンス〕伝言を繰り返します。訂正される時は数字の8の後にシャープを押して下さい。録音した伝言内容を確認する。	〔ガイダンス〕お伝えする伝言は以上です。	〔ガイダンス〕お伝えする伝言は以上です。伝言を追加して録音される時は，数字の3の後，シャープを押して下さい。（ガイダンスが流れるまでお待ちください）	
		〔ガイダンス〕伝言をお預かりしました。			〔ガイダンス〕お伝えする伝言は以上です。	
⑤	終了	自動で終話します。				

※1 センター利用料について
伝言録音・再生を行うためのセンター利用料は無料です。
※2 通話料について
「メッセージの録音」操作時において，録音できる伝言数を超えていた場合，または
「メッセージの再生」操作時において，お預かりしている伝言がない場合は通話料はかかりません。

乳児：膝の上にうつぶせにして抱き，背中と胸部を同時に手のひらで圧迫する。
いずれも意識がなくなったら，床に寝かせて心肺蘇生を行う。

4）かみきれない大きなものを食べたとき（こんにゃくゼリー，もち，ピーナッツなど），食べながら笑ったり，咳をしたとき，歩きながら食べているとき。

課題6

1) 口のまわりや手についているものを確認する。硬貨などの誤飲では，よだれが止まらなくなる。
2) 誤飲が疑われるものを持参して，救急病院を受診する。
3) タバコや医薬品は吐かせてよいが，それ以外は吐かせない。
4) 子どもの目線で誤飲する危険がある物が置いてないか常に点検する。

課題7

1) よごれているときには，水でよく洗う。
2) 切り傷のところをくっつけて押さえる。
   傷が深いときには，清潔なガーゼで押さえて医療機関に行く。
3) 出血している部位を清潔なガーゼで圧迫する。
   止血がなかなかできないとき，動脈を傷つけたときには，10分以上圧迫する。
   乳幼児で泣いているときには，泣き止ませる。
4) きれいなガーゼで出血している部位をしっかり圧迫する。
5) 鼻をつまんで鼻頭のところを冷やす。下を向かせて鼻の付け根をしっかり10分以上押さえる。
   乳幼児で泣いているときには，抱いて泣き止ませる。
6) 手足の大きな傷の場合は，心臓に近い部位をひもかハンカチでしばり心臓より高くする。
   出血量が多いときには，救急車を呼び，足を高くして寝かせる。

課題8

1) 流水か，タオルで巻いた氷で痛みがなくなるまで冷やす。
2) 歩き回らない。大きな布で身体を巻き燃え広がないようにする，服の上から冷水のシャワーをかける。
3) 冷水で口をすすいで，ただちに救急車で医療機関に連れて行く。

課題9

〔予防〕
1) WBGT 21～25℃：熱中症の徴候に注意し，積極的に水分補給。
2) WBGT 25～28℃：積極的に休息をとり，水分補給する。
3) WBGT 28～31℃：激しい運動や持久走は避け，運動する場合も積極的に休息をとり，水分補給を行う。体力の低い者や暑さに慣れていない者は，運動中止。
4) WBGT 31℃以上：特別の場合以外は，運動中止。

〔処置〕
1) 熱けいれん：けいれんしている筋肉を冷やし，水分補給。
2) 熱疲労：涼しいところに連れて行き，水分補給。十分水分摂取ができないときには，医療機関へ連れて行く。
3) 熱射病：涼しいところに連れて行き，身体に水をかけ，救急車を呼ぶ。

第8章　おさらいテストの解答

〈本文 139～140 ページ〉

問1

① 近い　　圧迫　　高く
② 嘔吐　　目つき　　意識状態
③ 流水　　10～15分　　痛み　　気道

④ 誤飲　　タバコ　　食道
⑤ 誤嚥　　咳き込み　　喘鳴　　背中
⑥ 熱中症　　頭

問2
ア　①
イ　⑤
ウ　④
エ　③
オ　⑥

問3
①　×　　気道確保，人工呼吸，胸骨圧迫
②　×　　一人で行うときには，胸骨圧迫30回に人工呼吸2回である。
③　×　　循環のサインがないときには，胸骨圧迫を行わなければならない。

問4
A　持ち上げ　　下方
B　口対口　　鼻と口　　鼻　　口　　3〜4秒
C　2本　　手のひら　　100回　　30回

第9章　演習課題の解答（例）

〈本文158〜159ページ〉

課題1
じゅうたんを取り除く。
ネコ，鳥を室内で飼わない。
ぬいぐるみを置かない。
室内に鉢植えの植物を置かない。
布製のソファーを置かない。
本棚にほこりがつかないような戸をつける。
カーテンを洗う。
エアコンのフィルターを洗う。
ほうきではなく，ほこりが出ないような掃除の仕方にする。
おもちゃ箱にふたをする。

課題2
1) 上着，下着を重ねて，すぐに腕や足が通せるようにする。
2) 障害があるほうの腕から袖を通して服を着る。
　　服を脱ぐときは，障害のないほうの腕から脱ぐ。
3) 股関節脱臼にならないように無理な動きをさせない。

課題3
1) ハンドルのところにブレーキがない場合は，ハンドルをしっかり握って動かす。
　　下り坂のときには，反対方向にむけて後ろ向きで降りる。

2）段差があるところでは，前輪を持ち上げて行う。
3）身体の不自由な子どもを乗せるときには，車輪をロックしてから乗り降りする。
そばを離れるときや乗り物に乗っているときは，必ず車輪をロックする。
4）坐位を保つことが困難な場合は，リクライニングができ，頭を固定する枕がある車いすを用いる。

課題4

1）スイッチを入れ，吸引圧がかかることを確認し，圧が高すぎないようにする。
子どもの年齢に合わせたカテーテルを用意する。
カテーテル内腔を洗浄するための水を用意する。
カテーテルの表面はアルコール綿で拭く。
吸引器のチューブと吸引カテーテルをしっかり接続してからスイッチを入れる。
2）子どもの頭部を動かないようにしっかり固定する。
カテーテルを挿入するときには，先端に圧がかからないように，手元のカテーテルの部分を指で折り曲げて挿入し，吸引するところまで挿入したら，指を離す。
3）分泌物を吸引しているときは，カテーテルを回しながら吸引する。
吸引時間は10秒以内とし，長過ぎないようにする。
4）無菌操作で行わなければならないので，カテーテルは無菌の手袋かピンセットでつまんで挿入する。挿入は手早くし，吸引時間は長過ぎないように特に注意する。

課題5

（参考）
・紙芝居「ぜんそくってなあに」（公益財団法人日本学校保健会）
（http://www.gakkohoken.jp/books/archives/76）

- 人形劇　1型糖尿病

- ブックガイド
  くまもとぱれっと　絵本紹介（http://www.kumamoto-palette.org/-books/）
  堺市図書館　病気や障害と生きるこどもたちによりそうブックリスト
  　（https://www.lib-sakai.jp/booklist/corner/201602kenkou01.htm）

くまもとぱれっと　絵本紹介

堺市図書館　病気や障害と生きるこどもたちによりそうブックリスト

第9章　おさらいテストの解答　〈本文 160～161 ページ〉

問1
① 発達　治療　発達
② 保護者　きょうだい

問2
① アレルゲン　環境　季節
② 呼気性　発作　ダニ　ハウスダスト
③ 運動障害　筋緊張
④ 姿勢　よい　悪い

問3

① ○
② ×   動物の毛はアレルギー疾患を悪化させやすい。
③ ○
④ ×   医療機関で診断を受けてから除去し，代わりの栄養をどうするか指導を受ける。
⑤ ×   呼気が延長する。
⑥ ○
⑦ ×   発作が起きていないときには，できるだけ通常の活動にも参加させる。

第10章 演習課題の解答（例）   〈本文169～170ページ〉

課題1

1）＋30％　肥満
2）＋20％　肥満
3）＋50％　肥満
4）－20％　やせ

課題2

1）バランスのとれた食事になっているか。
　野菜をきちんと食べているか。
　油分の多いものを食べ過ぎていないか。
　全体のエネルギーがどれくらいか。
　大皿から好きなだけ食べるという習慣はないか。
2）食事を食べる時刻は一定か。
　食事を食べる時間が短か過ぎないか（早食いはないか）。
　朝食を抜いたりしていないか。
　夕食を食べる時刻が遅過ぎたりしないか。
　夕食後，夜食を食べたりしていないか。
3）スナック菓子，炭酸飲料などを時間や量を決めないで食べていないか。
　テレビやゲームをしながら"ながら食べ"をしていないか。
　お菓子やジュースが子どものすぐ手の届くところに置かれていないか。
4）ゲームなど，室内遊びが多過ぎないか。
5）友人関係，学校での生活はうまくいっているか。
　精神的ストレスとなるものはないか。
6）家族の協力も大切である。
　食事を作る人，食物の買い物をする人への指導。

課題3

1）食事内容を変えていないか。
　食後，トイレで吐いたりしていないか。
2）実際の体型がやせているにもかかわらず，本人の意識では太りすぎと思っていることについてよく指導する。
3）家族の何気ない言動が影響していないか，家族への指導も大切である。

課題 4

1) テレビの視聴時間が長くなっていないか。
　遅い時間帯までテレビを見ていることはないか。
2) ゲームに熱中していることはないか。
3) 就寝時刻が遅くなっていることと起床時刻が遅くなっていることに関連がないか。
　起床時刻が遅くなり，朝食を食べなくなっていることと就寝時刻が遅くなっていることに関連がないか。
4) 家族も就寝時刻が遅くなっていないか。
　夕食の時刻，入浴の時刻も遅くなっていないか。

課題 5

1) テレビと同様に長時間行うと近視の進行になるおそれがある。休憩時間をはさむ，ときどき，遠くを見て眼を休めるなどが必要である。
2) ゲームを集中して行った後には他のことには集中できなくなることがある。
3) 外遊びが減少する，友人関係が狭くなるなどの問題もある。

課題 6

1) 友人と比較して，自分の体型を気にすることはしばしばある。
　第二次成長期の時期は人によって違う。成長曲線でみて，標準範囲からはずれているかどうかを検討して，不必要な心配やダイエットはしないように指導する。
2) いやなこと，気が進まないことがあるとしばしば消化器系の症状に出ることがある。朝学校に行く前におなかが痛くなるが，食欲は問題なく，休日は大丈夫などという場合は，心理的背景を考える。また，就寝時刻，食事の時間が不規則なときにも症状が出やすいので，日常の生活指導を行う。
3) 友人関係か，学習の問題か，何かいやなエピソードがあるか，いきなり理由を尋ねるのではなく，お互いの関係をつくりながら，家族，学校関係者とも連携して解決の方法を考える。
4) 思春期の友人関係は，流動的でちょっとしたことで，傷ついたり，うまくいかないと思い込むことがある。家族，スクールカウンセラー，学校関係者と連携を取りながら，解決方法を本人の力で見つけ出すように考える。

第 10 章　おさらいテストの解答

〈本文 171 ページ〉

問

① 実測体重　　単純性肥満　　食生活　　運動量　　家族
② ホルモン　　不安定　　起床時刻　　朝食　　活動時間
③ 柔軟性　　調整能力　　協調性
④ 生殖　　生殖　　思春期

各章の演習課題とおさらいテストの解答(例)

第11章　演習課題の解答(例)　　　〈本文179ページ〉

課題1

　日本で受けていない予防接種を継続して受けられるか?

　日本にない予防接種を受けてもよいか?

　体調が悪いときに,どこに相談したらよいか?

　医療機関にかかったときに,費用はどれくらいかかるか?

　乳幼児健診はどうやったら受けられるか?

　入院したとき,言葉による意思疎通をどのようにしたらよいか?

　＊ほかにもいくつかあるかと思いますが,これらのことが,在日外国人も同様に不安を
　　覚えることです。困っているときには,情報を提供して助け合うことが大切です。

課題2

　予防接種や乳幼児健診の受け方,日時,場所。

　母子健康手帳の入手の仕方。

　医療機関の場所と受診の仕方。

　乳幼児の医療費の公費負担制度の受け方。

　言葉のサポート。

　流行している感染症と対処の仕方の情報。

課題3

　外国人向けの母子健康手帳はあるか。

　外国語で書かれた予防接種,乳幼児健診,医療機関,公費負担制度の説明書はあるか。

　医療機関にかかるときの通訳はいるか。

　健康上で困ったときに,相談に乗る窓口はあるか。

課題4

　栄養の改善,下水道設備の改善,予防接種,乳幼児健診,保健師訪問,医療レベルの向
　上,健康意識の向上

第11章　おさらいテストの解答　　　〈本文180ページ〉

問

① 保健衛生　　　健康水準

② 感染症　　　栄養　　　健康意識

③ 合計特殊出生率　　　減少

④ 国籍　　　国籍　　　在留資格

⑤ 感染症　　　飲料水

和文索引

◆あ
仰向け寝	64
悪性腫瘍	153
悪性新生物	153
アスペルガー症候群	155
頭じらみ	92
アデノウイルス	90
アトピー性皮膚炎	145
アナフィラキシー	128,131,147
アレルギー	143
アレルギー性疾患	143
アレルギー性紫斑病	152
アレルギー性鼻炎	147
アレルゲン	145
安全管理	111
安全教育	112

◆い
1か月健診	79
1歳6か月健診	79
一次救命処置	126
意識障害	149
胃腸炎	92
溢乳	85
衣服の着せ方	58
インスリン	152
咽頭結膜熱	90,94
インフルエンザ	90,94,96
インフルエンザ菌b型	93,96

◆う・え
うつぶせ寝	64
運動機能の発達	28
永久歯	58
衛生管理	76,77
栄養所要量	57
液性免疫	46
エピペン®	132
遠城寺式乳幼児分析的発達検査法	33
エンテロウイルス	90

◆お
応急処置	126
黄疸	55
嘔吐	85
押し出し反射	56
お坐り	30
おたふくかぜ	90,94,96
汚物の処理	77
オムツ	59
オムツかぶれ	85
おもちゃ	67
おんぶ	54

◆か
臥位	4
海外渡航者	176
外出時の持ち物例	66
外傷後ストレス障害	111
回復体位	126
カウプ指数	12,13,164
過期産	2
学習障害	157
かぜ症候群	94
顎下腺	90
学校環境衛生基準	76
学校健診	79
学校保健安全法施行規則	76
カポジ水痘様発疹	90
紙オムツ	59
紙オムツのつけ方	62
川崎病	88,91
感覚	46
間質性肺炎	92
勧奨接種	96
感染症新法	76
感染症の予防	94
カンピロバクター	92

◆き
気管支炎	87
気管支喘息	87,145
気道確保	126
嗅覚	48
吸気性喘鳴	92
救急車	100
救急車の呼び方	136
救急病院	100
急性気管支炎	92
急性ストレス反応	111
急性脳症	90
吸啜反射	28,56
胸囲	7
仰臥位	4,30
胸腔穿刺	92
胸骨圧迫	126
蟯虫症	91
協調運動	30
巨大児	2
切り傷	128
筋緊張の異常	149
緊張性頸反射	28

◆く
薬の投与	98
口呼吸	43
首の坐り	30

　
クループ	92
車いす	159

◆け
経管栄養	143
経口感染	92
軽度発達障害	155
頸部リンパ節腫脹	89
けいれん	84,127,149
血圧	44
結核	94,96
血管性紫斑病	152
結膜炎	94
解熱薬	101
下痢	85
限局性学習症	157
健康管理	78
健康診査	78
言語障害	149
原始反射	28,30
犬吠様咳嗽	92

◆こ
誤飲	100,130
高機能自閉症	155
口腔吸引	143,150
口腔内の衛生	58
合計特殊出生率	174
口唇ヘルペス	90
交通安全教育	113
喉頭炎	92
広汎性発達障害	155
項部硬直	93
声掛けの仕方	67
誤嚥	100,131,150
誤嚥性肺炎	87
股関節脱臼	59
呼吸	43
呼吸困難	128
呼吸障害	150
呼吸数	43
呼吸の型	43
国際協力	174
国際連合	174
国際連合児童基金	174
極低出生体重児	143
個人差	32
骨折	130
固定遊具	67
言葉の発達	32
子ども虐待	113
粉薬	98

200

◆さ

3〜4か月健診	79
3歳健診	79
坐位	4
細気管支炎	92
在胎週数	3
在宅医療支援	143
在宅酸素療法	150
在日外国人の子どもの保健	176
細胞免疫	46
搾乳	55
刺し傷	128
嗄声	92
坐薬	99
白湯	56
サルモネラ	92
酸素療法	150

◆し

死因統計	108
紫外線対策	65
視覚	46
視覚障害	153
耳下腺	90
耳眼面	4
色覚異常	154
糸球体腎炎	152
子宮内胎児発育遅延	4
事故	108
自己導尿	143
事故防止	108,116
姿勢の異常	149
施設環境	76
肢体不自由児	149
湿球黒球温度	131
シックハウス症候群	77
自転車の乗せ方	67
児童相談所	113
自動体外式除細動器	127
児童福祉施設最低基準	76
自動歩行	28
歯肉口内炎	90
ジフテリア	96
自閉症	155
自閉スペクトラム症	155
死亡率	174
社会性の発達	33
弱視	153
シャフリングベビー	30
ジャルゴン	32
受精	2
出産後の記録	17
出産の記録	17
出生後の記録	18

出生率	174
出席停止期間の基準	94
受動免疫	46
瞬目反射	46
障害児福祉手当	142
条件詮索反応聴力検査	48
猩紅熱	91
小泉門	6
情緒の発達	33
消毒の方法	76
小児慢性特定疾患治療研究事業	142
上腕動脈	44
食生活	165
褥瘡	150
食中毒	92
食物アレルギー	144
触覚	48
自立支援(育成医療)給付事業	142
視力検査表	47
シロップ	98
腎盂腎炎	93
神経・筋疾患	148
人工呼吸	126
人工乳	55
心室中隔欠損症	151
滲出性中耳炎	94
心身症	166
身体計測の仕方	4
身体的虐待	114
身体発育の測定	4
身長	4
身長体重曲線	12
心肺蘇生	126
心肺蘇生指針	129
新予防接種法	96
心理的虐待	113

◆す

水痘	88,89,94,96
水分量	44
水疱性発疹	90
髄膜炎	93
砂場	77
擦り傷	128
ずりばい	30

◆せ

生活習慣	164
生活習慣病	164
正期産	2
精神機能の発達	33
精神症状	149
精神遅滞	155

成長曲線	8,9,10,11,12,15
性的虐待	114
生理機能の発達	42
生理的体重減少	4
世界保健機関	174
咳	87
先天性風疹症候群	89
全盲	153

◆そ

早産	2
早産児	143
粗大運動	28,30

◆た

体液調節	44
体液の組成	44
体液量	44
体温	42
体温の測定	42
胎児の発育	2
体重	4
帯状疱疹	89
大泉門	6
大腿動脈	44
体表面積	7
抱き方	54
多呼吸	92
脱臼	130
抱っこ	54
探索反射	28,56
単純ヘルペス感染症	90

◆ち

チアノーゼ型心疾患	151
知能指数	33
知能の発達	32
チャイルドシート	65
注意欠如多動症	157
中耳炎	94
肘内障	130
腸炎ビブリオ	92
聴覚	47
聴覚障害	154
腸管出血性大腸菌	92
聴性脳幹反応検査	48
調整能力	166
超早産児	143
超低出生体重児	143

◆つ

追視	47
つかまり立ち	30
つかみ方の発達	32
つたい歩き	30

◆て

手足口病	88,90

201

手洗い————63
定期接種————96
定頸————30
低出生体重児————2,143
溺水————130
てんかん————149
点眼薬————99
電撃傷————132
伝染性紅斑————88,90
伝染性単核症————90
伝染性軟属腫————91
伝染性膿痂疹————91
デンバー式発達スクリーニング
　検査————33

◆と

トイレットトレーニング————59
頭囲————6
登園（校）許可書————95
橈骨動脈————44
同時接種————96
凍傷————132
糖尿病————152
頭部打撲————130
動物小屋————77
特定疾患治療研究事業————142
特別児童扶養手当————142
床ずれ————150
突発性発疹————88,89
とびひ————91

◆な

内臓脂肪————164
内分泌疾患————152
生ワクチン————96
喃語————32
難聴————94

◆に

日本脳炎————96
乳歯————58
乳頭点————7
乳幼児嘔吐下痢症————90
乳幼児突然死症候群————64
入浴————61
尿検査————45
尿量の測定————45
尿路感染症————93
任意接種————96
妊娠————2
妊娠時の記録————17

◆ぬ・ね

布オムツ————59,61
塗り薬————99
寝返り————30
寝かせ方————64

ネグレクト————114
熱けいれん————131
熱射病————131
熱性けいれん————84
熱中症————131
熱中症予防のための運動指針
————133
熱疲労————131
ネフローゼ症候群————152

◆の

膿胸————92
脳性麻痺————148
能動免疫————46
ノロウイルス————90
ノンレム睡眠————64

◆は

把握反射————28
パーセンタイル値————12
肺炎球菌————96
排気————55
排泄————59
はいはい————30
排便————61
ハウスダスト————145
はしか————88,89,94,96
破傷風————96
発育指数————12
発育速度————12
発育の偏り————12
初語————32
発達指数————33
発達障害————154
発達障害者支援法————155
発展途上国の子どもの保健————178
発熱————43,84
鼻呼吸————43
鼻づまり————87
鼻水————87
歯並び————58
歯の生え方————58
歯磨き————58
パラシュート反射————30
貼り薬————99

◆ひ

ピークフローメーター————145
ひき起こし反応————30
鼻腔吸引————150
微細運動————28,30
鼻出血————128
必要水分量————44
ヒトＴ細胞白血病ウイルスⅠ型
————55
ヒトパピローマウイルス————96

ヒト免疫不全ウイルス————55
ひとり歩き————30
避難訓練————113
泌尿器疾患————152
飛沫感染————89
肥満————164
肥満度判定曲線————164
百日咳————91,94,96
ヒヤリ・ハット報告————111
病原性大腸菌————92
標準偏差————12

◆ふ

風疹————88,89,94,96
プール————77
プール熱————90
不活化ワクチン————96
不感蒸泄————43
腹臥位————30
ブドウ球菌————92
ブドウ球菌感染症————91
分泌型免疫グロブリンＡ————55

◆へ

平行遊び————33
ペット感染————101
ベビーカー————65
ヘルパンギーナ————90
ヘルペス————89
便秘————85

◆ほ

膀胱尿管逆流————93
防犯指導————113
母子健康手帳————17,176
発疹————88
発疹の性状————89
ホッピング反応————30
ボツリヌス菌————92
哺乳————55
母乳————55
ポリオ————96

◆ま

マイコプラズマ感染症————91
麻疹————88,89,94,96
マンシェット————44
慢性疾患————142

◆み

味覚————48
水いぼ————91
水ぼうそう————88,89,94,96
三日ばしか————88,89,94,96
脈拍————44

◆む・め・も

虫歯————58
メタボリックシンドローム————164

メチシリン耐性黄色ブドウ球菌
———————— 91
免疫グロブリン G ———— 46
綿棒浣腸 ———————— 86
沐浴 ——————— 61,63
モロー反射 —————— 28

◆や・ゆ・よ
火傷 ——————— 130
やせ ——————— 164
夜尿 ———————— 61
揺さぶられっ子症候群——— 54
指差し ——————— 32

溶連菌感染症————— 88,91
四つばい —————— 30
予防接種 —————— 96
予防接種の記録 ———— 18
予防接種の変遷 ——— 100

◆ら・り
ランドルト環 ————— 47
リスクマネジメント ——— 111
立位 ———————— 4
離乳 ———————— 56
離乳食 ——————— 56
離乳の完了 ————— 57

リプロダクティブ・ヘルス— 167
流行疾患 —————— 94
流行性耳下腺炎———— 90,94,96
流産 ———————— 2
りんご病 ————— 88,90

◆れ
冷凍母乳 —————— 55
レース様紅斑 ————— 90
レム睡眠 —————— 64

◆ろ
ローレル指数 ———— 164
ロタウイルス ———— 90,96

欧文索引

◆A
A 型肝炎 —————— 96
A 群コクサッキーウイルス— 90
ABR(auditory brain-stem
   response)————— 48
AD/HD(attention deficit/
   hyperactivity disorder)—— 157
AED(automated external
   defibrillator)———— 127
AFD 児 ——————— 3
Airway ——————— 126
appropriate for date infant—— 3
ASD(autistic spectrum
   disorder)————— 155
ASR(acute stress reaction)— 111

◆B
B 型肝炎 —————— 96
B 細胞 ——————— 46
BCG ———————— 96
BMI ——————— 12,164
Breathing —————— 126

◆C
Circulation —————— 126
COR(conditioned orientation
   reflex auditometry)——— 48
CPR(cardiopulmonary
   resuscitation)———— 126

◆D・E
DDST(Denver developmental
   screening test)———— 33

DENVER Ⅱ記録票———— 34
DQ ———————— 33
EB ウイルス感染症———— 90

◆H
heavy for date infant ——— 4
HFD 児 ——————— 4
Hib ——————— 93,96
HIV(human immunodeficiency
   virus)—————— 55
HPV ———————— 96
HTLV-Ⅰ:human T-cell leukemia
   virus type I ———— 55

◆I
IgG ———————— 46
IQ ———————— 33
IUGR(intrauterine growth
   restriction)————— 4

◆L・M
LFD 児 ——————— 3
light for date infant ——— 3
MCLS(mucocutaneous lymph-
   node syndrome)——— 91
methicillin-resistant
   Staphylococcus aureus—— 91
MR(mental retardation)—— 155
MRSA ——————— 91
MR ワクチン ————— 89

◆O・P・R
O157 ——————— 92

PDD(pervasive developmental
   disorders)————— 155
PTSD(post-traumatic stress
   disorder)————— 111
RS ウイルス感染症———— 143

◆S
SBS(shaken baby syndrome)
   ——————————— 54
SD 曲線 —————— 15
SD 値(SD スコア)———— 12
SFD 児 ——————— 3
SG(safety goods)———— 67
SHS(sick house syndrome)—— 77
SIDS(sudden infant death
   syndrome)————— 64
small for date infant ——— 3
Specific Learning Disorder— 157
ST(safety toy)———— 67

◆T・U
T 細胞 ——————— 46
UN(United Nations)——— 174
UNICEF(United Nations
   Children's Fund)——— 174

◆W
WBGT(wet bulb globe
   temperature)———— 131
WHO(World Health
   Organization)———— 174

203

- **JCOPY** 〈出版者著作権管理機構　委託出版物〉
  本書の無断複写は著作権法上での例外を除き禁じられています．
  複写される場合は，そのつど事前に，出版者著作権管理機構
  （電話 03-5244-5088，FAX03-5244-5089，e-mail：info@jcopy.or.jp）
  の許諾を得てください．
- 本書を無断で複製（複写・スキャン・デジタルデータ化を含み
  ます）する行為は，著作権法上での限られた例外（「私的使用の
  ための複製」など）を除き禁じられています．大学・病院・企
  業などにおいて内部的に業務上使用する目的で上記行為を行う
  ことも，私的使用には該当せず違法です．また，私的使用のた
  めであっても，代行業者等の第三者に依頼して上記行為を行う
  ことは違法です．

これならわかる！子どもの保健演習ノート　改訂第 3 版追補
―子育てパートナーが知っておきたいこと―

ISBN978-4-7878-2407-3

2012 年 1 月 10 日	初版第 1 刷発行
2013 年 12 月 26 日	改訂第 2 版第 1 刷発行
2016 年 12 月 27 日	改訂第 3 版第 1 刷発行
2018 年 2 月 2 日	改訂第 3 版第 2 刷発行
2019 年 3 月 15 日	改訂第 3 版追補第 1 刷発行
2021 年 2 月 1 日	改訂第 3 版追補第 2 刷発行
2022 年 1 月 25 日	改訂第 3 版追補第 3 刷発行
2023 年 1 月 30 日	改訂第 3 版追補第 4 刷発行

※前書
「これならわかる！小児保健実習ノート」
初　　版第 1 刷　　2007 年 11 月 30 日発行
改訂第 2 版第 1 刷　　2009 年 12 月 15 日発行

監　　修	榊原洋一
執　　筆	小林美由紀
発 行 者	藤実彰一
発 行 所	株式会社　診断と治療社

〒 100-0014　東京都千代田区永田町 2-14-2　山王グランドビル 4 階

TEL：03-3580-2750（編集）　03-3580-2770（営業）

FAX：03-3580-2776

E-mail：hen@shindan.co.jp（編集）

eigyobu@shindan.co.jp（営業）

URL：http://www.shindan.co.jp/

表紙デザイン	ジェイアイ
本文イラスト	河原ちょっと，松永えりか
印刷・製本	広研印刷 株式会社

©Miyuki KOBAYASHI, 2019. Printed in Japan.

［検印省略］

乱丁・落丁の場合はお取り替えいたします．